UN APRÈS-MIDI DE SANG
de Marcel Godin
est le deux cent cinquante-cinquième ouvrage
publié chez
LANCTÔT ÉDITEUR
et le vingt-sixième de la
pcl / petite collection lanctôt.

UN APRÈS-MIDI DE SANG

DU MÊME AUTEUR

La cruauté des faibles, nouvelles, Montréal, Éditions du Jour, 1961 ; Montréal, Les Herbes rouges, 1988.

Ce maudit soleil, roman, Paris, Robert Laffont, 1965 ; Outremont, Lanctôt éditeur, 2000.

Une dent contre Dieu, roman, Paris, Robert Laffont, 1969; Outremont, Lanctôt éditeur, 2001.

Danka, roman, Montréal, L'Actuelle, 1976.

Confettis, nouvelles, Montréal, Éditions internationales Alain Stanké, 1976 ; Montréal, HMH, 1979.

Manuscrit, poésie, Montréal, Éditions internationales Alain Stanké, 1978.

Maude et les fantômes, roman, Montréal, l'Hexagone, 1985.

Après l'Éden, nouvelles, Montréal, l'Hexagone, 1986.

Les anges, roman, Paris, Robert Laffont, 1988.

Le chemin de la lune, roman, Montréal, VLB éditeur, 1993.

Marcel Godin

UN APRÈS-MIDI DE SANG

roman

PCL / petite collection lanctôt

LANCTÔT ÉDITEUR
1660 A, avenue Ducharme
Outremont, Québec
H2V 1G7
Tél. : (514) 270.6303
Téléc. : (514) 273.9608
Adresse électronique : lanctotediteur@videotron.ca
Site Internet : www.lanctotediteur.qc.ca

Illustration de la couverture : Jérôme Bosch, *Le Jugement dernier*, détail.

Mise en pages et maquette de la couverture : Folio infographie

Distribution :
Prologue
Tél. : (450) 434.0306 ou 1.800.363.2864
Téléc. : (450) 434.2627 ou 1.800.361.8088

Distribution en Europe :
Librairie du Québec
30, rue Gay-Lussac
75005 Paris
France
Téléc. : 43.54.39.15

Nous remercions le ministère du Patrimoine canadien et le Conseil des arts du Canada de l'aide accordée à notre programme de publication. Nous remercions également la SODEC, du ministère de la Culture et des Communications du Québec, de son soutien. Lanctôt éditeur bénéficie du Programme de crédit d'impôt pour l'édition de livres du gouvernement du Québec, géré par la SODEC.

Première édition : Robert Laffont, 1988. Titre original : *Les anges*

Ceci est un roman-document inspiré d'un fait divers. Ses personnages sont fictifs.

Je remercie M. Michel Roy, éditeur adjoint de *La Presse*, de m'avoir donné accès aux archives du journal. Je remercie particulièrement les journalistes Joyce Napier, Léopold Lizotte, Jean-Paul Soulié, J.G. Dubuc, Germain Tardif, Bernard Morrier, Martha Gagnon et André Cédilot.

Évidemment, beaucoup d'autres personnes, dont je ne peux dévoiler l'identité, m'ont été d'un précieux secours; qu'elles soient assurées de ma reconnaissance.

Je ne peux passer sous silence l'amabilité avec laquelle m'a reçu M. Roger Gladu, le véritable pourvoyeur du lac Saint-Pierre. Vic Vogel, qui a consenti à faire office d'ange gardien, et Jean-Luc Allard, qui s'est dévoué sans compter pour que ce livre se réalise, m'ont apporté un inestimable soutien.

À tous mes amis les plus chers, mes excuses pour leur avoir fait subir mon mauvais caractère tout au long de cette aventure romanesque.

M.G.

1

Coca si ! Coca no !

Un jean délavé, une paire de sandales éculées ; une barbe de cinq jours, volontairement sale, sentant la bière et la transpiration, le blanc des yeux pas très blanc, irrité par l'insomnie, l'alcool et la drogue ; une longue chemise jaune déboutonnée sur les slogans violents d'un T-shirt noir. Laurent « Pif » Francœur commençait à en avoir assez d'attendre, à San Francisco, le moment où on lui livrerait la marchandise.

Cinq jours qu'il espérait, sous ce déguisement de fauché mais les poches pleines d'argent, que le signal arrive : une simple enveloppe vide adressée à Bob White, le faux nom sous lequel il s'était inscrit sur le registre de l'hôtel Commodore, rue Sutter. Un hôtel minable, à quarante dollars américains la nuit. Et quelles nuits ! Il était constamment dérangé par les blattes qu'il attirait dans les coins avec des tablettes de chocolat.

S'il s'était ainsi déguisé, ce n'était pas pour obéir à sa fantaisie, mais à une directive. Vêtu à la mode italienne, son complice était dans une autre galère. Il menait grand train dans un palace, mangeait au Square One ou Chez Panisse, les meilleurs restaurants d'Amérique, ou du moins les plus cotés, et y soudoyait grassement le maître d'hôtel pour prendre la place des gourmets qui avaient réservé des mois à l'avance. Cela n'empêchait pas Jacques « Shaft » Meunier d'en avoir, lui aussi, jusque-là. Le plan était parfait, tout avait été bien planifié, alors pourquoi la marchandise se faisait-elle attendre ?

Depuis cinq jours, Shaft et Pif avaient erré dans San Francisco où tous ceux qui n'y sont jamais allés imaginent trouver le paradis terrestre. C'était sûrement une ville magnifique, mais la vie quotidienne est la même partout. Les fausses découvertes des touristes aussi. Ceux qui montent dans la tour Eiffel ou la tour du Parlement, à Ottawa, ne sont pas différents de ceux qui, à San Francisco, cherchent le Fisherman's Warf, l'Alcatraz et la belle Sausalito, de l'autre côté du Golden Gate.

Sous la chaleur californienne, assis au comptoir du bar Hamburger Mary's, dégustant une demi-brune brassée à San Francisco, la *Anchor Steam Beer*, Shaft songeait à son avenir en guettant Pif à qui il avait donné rendez-vous et qui devait, peut-être, apporter l'enveloppe. Mais il songeait surtout, fier de lui, à tous les bons coups qu'il avait réussis.

Son contact avec la filière iranienne, quel coup fumant ! Des kilos d'héroïne, débités par cent grammes, jamais plus, et insérés dans des enveloppes qui lui étaient adressées au nom d'une compagnie d'import-export bidon. Que dire d'une autre importation, de jeans cette fois, des caisses pleines expédiées du Maroc par Abderman Saad (un faux nom), maintenant rapatrié à Tel-Aviv ? Toutes les poches arrière contenaient une tablette de haschisch, le tout dédouané par un fonctionnaire chèrement soudoyé. Oui, il se rengorgeait, roulait les épaules, rêvait de prendre sa retraite après ce dernier pari qu'il devait gagner coûte que

coûte. Il ne pouvait pas le rater. Le plan avait été si minutieusement préparé par le plus grand spécialiste, Carl
O'Burn, millionnaire de son état. Shaft voyait déjà cette
marchandise distribuée à la meute des petits passeurs et
des trafiquants de basse classe, et se frottait les mains : à
moi les millions, bande de petits cons. Mais il interrompit
sa séance d'autosatisfaction en voyant arriver Pif, tout sourire, l'enveloppe à la main.

La marchandise allait enfin être livrée. Elle venait de
loin et avait déjà fait des ravages en route : ceux qui étaient
sur le coup depuis le début, c'est-à-dire la famille Aranjuez,
se faisaient boucler au même moment. Mario Aranjuez en
tête. Le numéro un du trafic de la cocaïne au Pérou venait
d'être arrêté à Ancun, petite station balnéaire à trente kilomètres de Lima. Dans les milieux politiques, la pègre et la
mafia, certains tremblaient, et toutes les agences de presse
relevaient l'information.

« Mario Aranjuez est devenu l'homme le plus protégé
du Pérou. Hormis la police, personne ne connaît le lieu de
détention sans cesse modifié du roi des trafiquants, condamné à mort par ses anciens complices.

« Tous les membres de sa grande famille ont suivi
Mario Aranjuez sous les verrous. Sa mère, El Carmina ; ses
trois frères, Julio, Miguel et Manolo ; sa secrétaire person-
nelle, Maria-Luz Fernandez, laquelle connaissant tous les
dossiers serait l'une des pièces maîtresses de l'organisation.

« Selon les informations émanant des services de renseignements de la Sûreté, Mario Aranjuez aurait été arrêté
lors d'une perquisition effectuée dans la plus grande discrétion, les policiers l'ayant surpris au saut du lit dans les
bras de sa maîtresse, Amalia Sanchez-Rodriguez, une danseuse inconnue des services de police. Lors de la descente,

les inspecteurs ont trouvé des faux passeports de diverses nationalités, grâce auxquels Aranjuez aurait pu quitter facilement le pays en emportant sa fortune. Au cours d'un premier interrogatoire, le trafiquant aurait déclaré à la police qu'il avait préféré rester au Pérou, malgré les menaces pesant sur lui, pour ne pas s'éloigner de sa mère qu'il vénère. Celle-ci aurait été depuis victime d'un infarctus.

« L'origine de l'opération policière remonte à quelques mois, lors de l'explosion d'un laboratoire clandestin qui avait permis la découverte de l'organisation des frères Aranjuez, dont les ramifications s'étendent à plusieurs pays d'Amérique latine, en particulier la Colombie, mais aussi aux États-Unis, au Canada et à l'Iran. Ce laboratoire, surnommé « El Azucar », était dissimulé au centre d'un complexe immobilier formé d'une dizaine de villas louées à des complices sûrs et très actifs, toutes propriétés d'une « compagnie à numéro » présidée par El Carmina.

« À leur grande consternation, les policiers ont découvert, en fouillant les combles après l'explosion, une centrale téléphonique d'au moins quarante-sept lignes joignant divers services de la Sûreté de l'État, mais aussi de hauts fonctionnaires du précédent gouvernement.

« Depuis la prise du pouvoir par le social-démocrate Alan Garcia, plusieurs centaines de personnes mêlées au trafic de la drogue ont été emprisonnées. Sept grands laboratoires de traitement de la feuille de coca ont été découverts dans la forêt amazonienne, en Iquitos (Pérou) et Leticia (Colombie). Douze aéroports et des milliers d'hectares de cultures clandestines ont été investis par les forces spécialisées de la Garde républicaine. Les policiers cherchent toujours l'album dans lequel Aranjuez collectionnait les photos, prises dans les fêtes qu'il donnait, de personnalités du monde de la finance, des douanes, de la politique et de la police.

« Beaucoup de têtes vont bientôt tomber. »

Ces événements n'avaient pas empêché un bimoteur de marque Cessna de quitter le Pérou pour rejoindre, après quelques escales, une piste située près de San Francisco, entre des enfilades d'orangers dépouillés de leurs fruits.

Le bimoteur s'immobilisa à quelques mètres d'un hangar en bois dont les planches, bleuies par le soleil et les années, avaient perdu leurs nœuds et laissaient pénétrer les faisceaux de la lumière du jour. Pour le protéger des vues aériennes, on avait peint le toit de tôle galvanisée. Le hangar contenait des cageots d'oranges que trois jeunes hommes remplissaient précautionneusement avant de les déposer dans la remorque réfrigérée d'un camion. Près de la montagne de fruits mûrs attendaient d'autres oranges, en plastique celles-là, et si bien fabriquées qu'il fallait un œil averti pour les reconnaître.

Le camion, aux trois quarts plein, était stationné à deux pas des portes du hangar. Un homme et une femme étaient assis dans la cabine. Cigarette aux lèvres, les yeux dissimulés par des verres fumés, ils battaient le tempo d'une chanson d'Elton John. Elle, c'était Edith Truman, et son ami, Sam Martin, le neveu de celui dont le nom figurait en lettres rouges bordées de noir sur la remorque du camion : « O'BURN IMPORT/EXPORT ». Les portes arrière étaient décorées de plaques d'immatriculation de divers États américains et provinces canadiennes. Une ligne de couleur orange soulignait le nom de la compagnie et se terminait par trois points de suspension, figurés par ces agrumes.

Cela n'avait pas vraiment d'importance, puisque la remorque changeait de couleur et d'identité chaque fois que cela était nécessaire. Le commerce des farines, des fleurs et des fruits avait très souvent servi de couverture aux activités, illégales mais lucratives, de Carl O'Burn.

Les moteurs du Cessna cessèrent de tourner. Deux hommes plus âgés, vêtus de denim et chaussés d'espadrilles neuves, en descendirent et vinrent directement vers le camion en faisant des mouvements de gymnastique pour se délier les membres. Les occupants de la cabine descendirent eux aussi et s'avancèrent à la rencontre des aviateurs.

—Ça va? demanda en anglais Sam Martin.

—Tout est là, répondit le pilote en espagnol. Vous pouvez prendre le bonbon.

Sam siffla et les trois jeunes Métis en haillons qui manipulaient des oranges depuis des jours, surgissant du hangar, se mirent à décharger comme des perdus, aidés nonchalamment par les quatre adultes. Quelques heures plus tard, le contenu de l'avion avait été transféré en silence dans le hangar où s'affairaient déjà les trois clandestins. Edith Truman, une ancienne serveuse sexy du bar The Rite Spot, retourna alors à la cabine du camion, balançant son joli fessier moulé dans un jean ultra-ajusté dévoré des yeux par les trois hommes. Elle extirpa de la couchette, derrière la cabine, une valise en toile qu'elle rapporta au hangar, tout aussi convoitée par les trois mâles qui fixaient son Mont de Vénus accentué par la couture du jean.

—Le compte y est, dit-elle en tendant la valise au pilote.

Celui-ci s'en saisit, en fit sauter les attaches et, claquant la langue au palais, les yeux illuminés comme si les billets avaient été phosphorescents, il vérifia avec la rapidité d'un croupier le nombre de liasses. Le compte y était bien. Les deux aviateurs firent un salut de la main avant de remonter dans l'avion et reprirent le chemin du ciel, après quelques manœuvres pour changer de cap.

— J'aurais dû les descendre, déclara Sam Martin en tâtant son revolver dissimulé sous sa veste.

— Pourquoi ?

— Pour le fric, connasse !

— Tu avais dit qu'on pourrait s'en faire un paquet d'autre !

— Pas nous ! Aux autres le pactole, à nous les miettes !

— Tu es peut-être trop gourmand.

— Ta gueule, trancha-t-il. Je n'ai pas de temps à perdre à bavasser.

Les fausses oranges, une fois toutes remplies de coke et leur base revissée, furent empilées dans des cageots, et ceux-ci rangés dans le camion au milieu des autres. Tandis qu'Edith regagnait la cabine en se cambrant d'un air faussement innocent, Sam fixait les adolescents qui attendaient confiants, les bras ballant le long de leur corps maigre. Il leur fit signe d'entrer dans le hangar. Les jeunes garçons obéirent, croyant le moment de la paye venu, un beau sourire figé sur leurs superbes dents blanches.

L'écho sourd des coups de feu fit sursauter Edith. Elle sentit un frisson la parcourir de la tête aux pieds, et s'exclama : « *Oh ! What a monster !* » Mais se sachant désarmée et complice, elle se contenta d'essuyer ses larmes, songeant qu'il pourrait tout aussi facilement la liquider. Elle pensa s'enfuir, se perdre dans l'orangeraie.

Elle en avait sûrement le temps, mais elle resta là, moite et paralysée, incapable de tirer sur sa cigarette.

Sam Martin traîna les victimes, l'une après l'autre, dans un coin du hangar et les recouvrit, à l'aide d'une large pelle en aluminium, d'une montagne d'oranges qui, de toute évidence, allaient pourrir là, puisque conformément aux intentions de Carl O'Burn, l'orangeraie devait être abandonnée. Elle était déjà sous-exploitée quand O'Burn en avait fait l'acquisition par l'intermédiaire d'une annonce classée. Après trois ou quatre coups du même genre, il valait mieux abandonner l'endroit avant que les atterrissages répétés n'aient attiré l'attention de voisins pourtant éloignés. Compte tenu de son prix d'achat et de ce qu'elle lui avait rapporté, cette terre avait été pour lui ce qu'une pince monseigneur est à un cambrioleur professionnel.

Edith attendait toujours, revoyant la place du marché où, quelques jours auparavant, les trois adolescents avaient été engagés. Elle ne pourrait jamais oublier leur sourire de contentement quand ils étaient montés à l'arrière du camion, heureux comme des chercheurs d'or qui ont trouvé le filon. Elle les revoyait vivants, mais dans sa tête se répercutait le sinistre écho des coups de feu.

— Mon Dieu! se plaignit-elle, que dois-je faire? Qu'est-ce qui m'a pris d'accepter les avances de cet homme?

Elle le revoyait au bar. Un vrai gentleman, si généreux, qui venait tous les jours depuis quelques semaines.

Comment avait-elle pu être aussi naïve?

Sam Martin cracha par terre, referma la porte du hangar, poussa le verrou et enclencha le gros cadenas. Il se dirigea vers la cabine du camion. Lorsqu'il ouvrit la porte, Edith sursauta et, reprenant soudain conscience, poussa un cri si aigu et si fort qu'il en fut impressionné.

— Doucement, les moteurs! cria-t-il.

— Tu m'as fait peur, j'étais dans la lune, balbutia-t-elle.

— Descends sur terre, aboya Sam en se prenant le sexe. Oust!

De la tête, il lui désigna la couchette de la cabine.

— Non ! dit-elle suppliante, pas maintenant, pas maintenant... Je ne me sens pas bien.

— Petite nature, ricana-t-il méchamment en montant dans la cabine. Il se pencha vers elle, lui mit une main entre les jambes, l'autre l'empoignant par le cou et, d'un mouvement aisé, la fit passer par-dessus le siège pour la jeter sur la couchette où il se colla à elle.

Quand il la sentit basculer dans le plaisir, après qu'il l'eut soumise à toutes ses fantaisies, il l'étrangla de ses mains de fer, la secouant en tous sens comme une poupée de son. Puis il s'affala sur le jeune corps, le temps de reprendre son souffle. Une fois relevé, il replaça son sexe dans son slip, releva son jean et sa fermeture éclair, inclina le siège avant et souleva le corps inanimé pour aller le jeter au pied d'un vieil oranger stérile. Il retourna au camion, ramassa les vêtements et le sac à main en toile jaune de sa victime. Il revint à grands pas déposer le tout à côté d'elle, non sans avoir retiré du sac les papiers d'identité qu'il brûla. De retour dans la cabine, il fuma une cigarette, absent, très loin de ce monde trop angélique pour lui.

Il consulta sa montre. Il avait pris du retard pour son rendez-vous. Il se revit interrogeant Edith :

— Tu as bien livré l'enveloppe ?

Et sans émotion, il crut entendre la petite voix chantante de la jeune femme lui répondre :

— Oui. À l'hôtel, comme tu me l'avais dit.

Le camion blanc chargé de cageots s'engagea lentement à travers les allées d'orangers vers la route nationale et San Francisco où l'attendaient deux hommes qu'il devait reconnaître à leur tenue vestimentaire. Avec deux doigts, il changea de cassette. Johnny Cash et sa guitare chantant la solitude du cow-boy remplacèrent Elton John.

Pour cacher ses yeux jaunes à la fixité hypnotisante plus féline qu'humaine, Sam Martin portait des verres fumés. Sans eux, l'évadé du pénitencier à sécurité maximale de Sainte-Anne-des-Plaines, qui aurait dû y purger une peine à perpétuité pour meurtre, était trop aisé à identifier. Son évasion avait fait la manchette de tous les journaux et ridiculisé les gardiens. Dans les cuisines où il était assigné à des tâches d'entretien, Sam avait assommé son geôlier avant de subtiliser son uniforme. Il était sorti de la prison en faisant de petits signes de tête et quelques autres simagrées empruntées à sa victime, qu'il avait appris à imiter et auxquels répondirent ses faux collègues complètement dupés. O'Burn avait ensuite pris les choses en main, fournissant faux passeports, fausses cartes de crédit, fausse moustache, en échange de quoi Martin devait rendre quelques petits services à son bienfaiteur. Et c'est ce qu'il venait de faire, sans laisser de traces.

Sam «Cat» Martin dirigea le gros camion blanc vers l'endroit où l'attendaient impatiemment Pif et Shaft, tous deux assis à l'avant d'une Cadillac bleu pâle immatriculée au Québec, garée entre une station-service et un relais de routiers.

Sam manœuvra pour garer son camion en diagonale, le long d'autres «gros culs», coupa le contact et descendit, se dirigeant vers la voiture décrite par O'Burn. Ses deux complices agirent de même, Pif tenant l'enveloppe blanche à la main.

— Tu es en retard, reprocha Shaft.

— J'y suis pour rien, répondit Martin. Les valises y sont?

— Dans le coffre, comme convenu.

— La somme y est?

— Tu peux vérifier.

Pif avait déjà actionné le mécanisme. La porte du coffre de la Cadillac se leva automatiquement au son du moteur électrique. Posées à plat au milieu d'un fatras, deux valises vertes apparurent.

Martin en vérifia le contenu, tandis que Pif râlait.

— Ça fait plusieurs jours que ces billets cuisent là-dedans. Y a des intérêts qui se perdent !

Martin ne répondit pas.

— Quand je pense qu'on a poireauté avec tout ce fric, ça me donne la nausée, y alla Shaft à son tour.

— La ferme ! trancha Martin. Ce qu'il y a dans le camion vaut mille fois ça.

— On peut voir ? demanda Shaft, pesant légèrement sur le couvercle du coffre qui se referma.

Et, prenant les devants, il se dirigea vers l'arrière du poids lourd. Martin ouvrit la porte avec une clé. Une forte odeur d'oranges leur sauta aux narines.

— Deuxième rangée.

Shaft sauta dans la boîte du camion, déplaça une caisse et en vérifia le contenu. Sans dire un mot, les hommes échangèrent les trousseaux de clés, des papiers, des cartes, des déclarations de douane. Pif et Shaft montèrent dans la cabine, tandis que Martin marchait vers la Cadillac.

« Cat » mit le contact, attendant que le camion disparaisse pour quitter à son tour San Francisco. Il avait prévu rejoindre un motel vers le sud, à Sacramento, pour y organiser son départ définitif des États-Unis. Direction Londres, puis la Suisse.

Il conduisit en respectant, pour une fois, les limites de vitesse, surveillant sans cesse les rétroviseurs. Il atteignit le motel en moins de deux heures de route, qui lui semblèrent n'en avoir duré qu'une tant les projets lui échauffaient le cerveau. Il pensa à son oncle qu'il détestait à mort et qui le tenait sous sa coupe. Il revit le visage de son père qu'il n'avait connu que par des photos, et celui de sa mère qu'il maudissait du fond du cœur pour l'avoir abandonné en bas âge. De l'assistance publique aux maisons de correction, puis à la prison, il avait dégringolé, jusqu'à ce que finalement son oncle l'embauche comme tueur à gages. Mais il cessa d'être amer, songeant à la petite fortune qui l'attendait dans les valises pour lui offrir une nouvelle vie.

Il gara devant sa chambre le véhicule des deux Québécois en maugréant des insultes à leur égard. Ensuite, il commanda l'ouverture du coffre.

Sam «Cat» Martin et la Cadillac explosèrent dans un fracas qui retentit à des kilomètres.

Des badauds en quête de sensations fortes accoururent dès qu'il n'y eut plus de danger. Ne restaient que lambeaux de chair, morceaux de ferraille, débris de fenêtres et quelques billets de banque. Faux.

Le FBI n'avait plus qu'à entrer en scène.

Pendant ce temps, le camion blanc, lui, roulait toujours pleins phares sur l'autoroute 80, vers Salt Lake City. Ses deux passagers s'étaient arrêtés pour dîner dans un *steak house*. Pif dormait sur la couchette de la cabine et Shaft conduisait en écoutant la radio qui diffusait de la musique disco, entrecoupée de nouvelles locales débitées si vite par une voix nasillarde que Shaft, malgré sa parfaite maîtrise de l'anglais, devait tendre l'oreille pour comprendre.

«Nous apprenons de notre bureau de New York que les profits réalisés par les deux grands succès des films pornographiques, *Deep Throat* et *Behind The Green Door*, auraient servi à financer un réseau international de trafic de drogue. De son côté, le *New York Daily News* nous rapporte le témoignage du sénateur de l'État de New York,

Christopher Mega. Celui-ci a affirmé devant la Commission d'enquête sénatoriale sur la pornographie qu'Anatoli Piacenti, âgé de soixante-dix ans, membre de la famille Cocini, a utilisé les profits de ces deux films pour construire une piste d'atterrissage sur une petite île des Bahamas, sur laquelle a transité, depuis 1976, une importante quantité de drogue. La Commission poursuit ses investigations pour déterminer l'existence de liens entre l'industrie pornographique et le crime organisé. »

— Bande d'arriérés ! marmonna Shaft.

La voix poursuivit :

« La vedette de ces films, Linda Lovelace, de son vrai nom Linda Marchiano, a témoigné pour sa part qu'elle n'était pas remise des deux tournages, ni émotionnellement ni physiquement et qu'elle n'avait accepté que sous la menace de jouer dans *Deep Throat*. »

La musique reprit et Shaft se mit à rêver aux séquences les plus salées des films en question, parmi ses favoris, et il douta de la franchise de la vedette. Il se souvenait de bon nombre de toutes jeunes comédiennes spécialisées, se disant qu'elles acceptaient tout, sans menaces ni cachet faramineux, en foutues salopes qui aimaient ça.

Un message publicitaire suivit sans qu'il ne l'écoute, trop occupé à garer le camion pour soulager sa vessie. Mais la voix nasillarde du journaliste attira de nouveau son attention :

« Une Cadillac bleu pâle a explosé vers six heures ce soir devant la porte d'un motel de Sacramento en Californie. Son occupant a été tué sur le coup. Le lieutenant détective Ralf Edouardson, du service des relations publiques de la Sûreté de l'État, a déclaré que les restes de la victime ne permettraient probablement pas de l'identifier. Les recherches ont permis... »

Shaft pissa, regardant le membre qui lui valait son surnom, trop occupé pour s'en enorgueillir. Il se souvenait de ce que lui avait dit Roméo «Rambo» Rousseau quand il avait pris possession de la Cadillac au garage du club des Hell's :

— N'ouvre pas le coffre plus d'une fois.

— Et si on a une crevaison ?

— J'ai prévu le coup. Il y a un pneu et un cric dans l'habitacle. Il n'y aura pas de problèmes, tous les pneus sont neufs. Tu ouvres le coffre une seule fois, pour montrer les valises. Tu piges ?

Il revit Rambo, ses petits yeux noirs malicieux en amande, son énorme front dégarni, son gros nez, et il se mit à rire de contentement :

— Quel expert bricoleur ! Quel mécanicien !

Son admiration fit soudain place à la peur :

— Si on allait sauter, nous aussi ?

Il s'empressa d'aller chercher une lampe de poche dans la cabine et se mit à inspecter minutieusement le dessous du camion, mais il s'arrêta net :

— Non. C'est idiot ! Pourquoi ferait-on sauter une fortune ?

Il se mit à rire de lui-même et reprit le volant complètement tranquillisé.

Et après, songea-t-il, une fois la drogue livrée ? Qui décide de quoi ? Hein, après ? Qui était ce courrier américain, ce Sam Martin ? Pourquoi l'avait-on liquidé ? D'où vient cette drogue ? Il imaginait les plus grosses affaires et la peur, comme une fièvre, s'empara de lui au point qu'il faillit quitter une courbe pour un champ. Il rétablit d'extrême justesse la trajectoire du mastodonte. Il était temps de changer de conducteur. Les soubresauts du camion avaient réveillé Pif.

— Qu'est-ce qui se passe ?

— Rien. J'étais distrait. À la prochaine aire de repos, tu prends le volant. Il y a des heures que je conduis.

— Où sommes-nous ?

— Près de Rawlins.

— Ça avance, ça avance.

Pif s'étira sur la couchette, se coiffa avec ses mains et se massa le visage. Il fit craquer les jointures de ses doigts, émit un bâillement simiesque et, d'un coup de reins, se retrouva assis, regardant la route et le paysage qui défilait.

— C'est là, dit-il.

Shaft freina trop tard. Il dut faire marche arrière pour rejoindre le parking. Pif sortit pour exécuter quelques mouvements de gymnastique, puis retourna à la cabine chercher deux canettes de bière. Il en lança une à Shaft, but l'autre goulûment, regarda au hasard et respira profondément pour se réveiller. Shaft s'assit à une des tables, alluma une cigarette, y mit un morceau de haschisch et inhala la fumée opaque et grasse. Il répéta trois fois l'opération, termina sa canette, puis attendit les effets conjugués de l'alcool et de la drogue. Quoique peu enclin au bavardage, il raconta, dans le détail, ce qu'il avait entendu à la radio. Pif écoutait, l'interrompant par des remarques sarcastiques : « Une Cadillac bleu pâle, pour un pédé sodomiseur de mouches en plein vol ! Quelle tête d'enculé ! Imagine, quand il a sauté, le beau tas de sauce aux tomates. » Il riait comme un dément en prenant le volant, beuglant :

— Rawlins, next stop. Petit déjeuner ! *Bacon and eggs.*

Shaft se pelotonna sur la couchette dans une couverture sale et poussiéreuse de l'armée canadienne. Il descendit la fermeture éclair de son jean, glissa sa grosse main poilue dans son slip, enserra son sexe et rêva à Linda Lovelace. Les ronronnements du moteur eurent tôt fait de l'endormir.

Ils mirent quelques jours pour effectuer le parcours San Francisco-Montréal par les routes 80 et 87 via Chicago, ne s'arrêtant que pour manger, faire le plein d'essence, vérifier l'état du camion. Une seule fois, ils firent halte dans un motel pour se laver et dormir dans un vrai lit. Ce soir-là, avachis dans des fauteuils recouverts de plastique vert lime, ils regardèrent la télévision en même temps qu'ils écoutaient la radio, buvant bière sur bière en sniffant à qui mieux mieux, car Shaft n'avait pu résister à la tentation de puiser dans la faramineuse cargaison. Galvanisés, les deux comparses en vinrent à subtiliser une caisse complète, convaincus ainsi d'avoir la bénédiction de leur chef, tout en renflouant le compte en banque du chapitre de Laval.

Puis, de plus en plus euphoriques, ils se mirent à dresser un plan pour écouler les oranges à leur profit, au mépris des règles du milieu. Le gros Pif, vêtu de son T-shirt noir indécent et d'un caleçon rouge écarlate, dansait avec la grâce d'un ours, ses longs cheveux sautant sur ses épaules colossales, suant comme toujours, la peau grasse, les yeux rouges, sa bouche ouverte et baveuse dévoilant des dents gâtées. Il était pieds nus et ses orteils palmés se terminaient par des ongles malformés, deux fois plus larges que la normale. Il dansait, faisant tressauter sa bedaine remplie de bière. Il dansait et Shaft, torse nu, exhibant ses nombreux tatouages, tapait des mains au rythme de la musique de la radio qui étouffait le son du téléviseur.

— Une autre ligne ?

— Tu ne t'appelles pas Pif pour rien, gros cochon, ricana Shaft.

— Un cochon millionnaire, tu en connais beaucoup ? demanda Pif.

— Je connais surtout des millionnaires cochons.

Ils s'esclaffèrent, se donnant de vigoureuses tapes dans le dos. Des complices en apparence, mais qui se seraient descendus à la moindre occasion s'il y était allé de leur intérêt.

Un locataire du motel voisin donna des coups sur la cloison, ce qui stoppa leurs débordements, mais provoqua la colère de Pif.

— Va chier, christ d'enfant de chien sale ! hurla-t-il face au mur, y broyant sa canette de bière à moitié pleine dont le liquide mousseux gicla.

— Faut pas attirer l'attention, sacrement ! avertit Shaft.

— On sort. Il y a un bar, pas loin. Et des filles.

— Pas question, hostie ! trancha Shaft, nous allons nous faire remarquer. Vaut mieux pas. Demain matin, il faut reprendre la route. Moi, je me couche.

Il fit ce qu'il venait de dire, n'acceptant aucune réplique, prêt à se battre à mort s'il le fallait. Il ferma le téléviseur, la radio et les lumières, puis s'étendit sur le lit où il chercha le sommeil, les poings crispés.

Pif, qui n'avait pas le choix, fit de même, non sans avoir vociféré une litanie de jurons avec le plus pur accent lavallois. Il chantait :

Saint-ciboye de Saint-ciboye de mastubateuye. Si c'est comme ça, je vais me coucher, sacrement...

— Mais ?

— Rien, câlisse !

Pif partit d'un rire d'hystérique, incapable de s'arrêter, jusqu'à ce que Shaft lui crie à tue-tête : « Faut-il que je te casse la gueule pour te calmer ? »

Il n'y eut plus que les bruits ambiants : le robinet de la salle de bains qui, mal fermé, gouttait, les autos et les camions qui roulaient à toute allure sur l'autoroute et la pluie qui, poussée par des vents violents, bombardait les vitres ; chant de tempête automnale dont les harmonies magnifiques eurent tôt fait d'endormir les deux brutes, complètement ivres et droguées.

Le lendemain, après avoir copieusement déjeuné et bu quelques canettes, ils reprirent la route, indifférents aux merveilleux paysages des États-Unis qu'ils traversaient d'ouest en est, n'ayant presque rien à se dire, toujours à l'écoute de la radio ou des cassettes.

— Plus on avance, plus on gèle ! On retourne d'où on vient, c'est ça ?

— J'aurais préféré le faire en avion, au moins. De toute façon, c'est Vancouver qui m'attire.

— Moi, enchaîna Pif, je peux vivre n'importe où, avec n'importe qui, pourvu qu'il y ait un chat.

Il se mit à raconter l'histoire des chats qu'il avait possédés au cours de ses trente et une années d'existence. Cinq chats, au moins. Puis, en prison, plus de chat. Quand il était enfant, il y avait eu Tarzan. Enfant où ? Enfant quand ? Il ne se souvenait que de Tarzan : un beau bâtard tacheté avec un regard presque humain, mais non, plus qu'humain ; et des poils, ah ! douce fourrure, et des pattes innocentes qui n'avaient pas d'égales pour attraper un oiseau ou un mulot ; et une queue, quelle queue ! grosse, aux poils généreux, qu'il dressait constamment avec fierté.

Il parla longtemps du chat. Il raconta comment, à la fin de l'après-midi, il fallait le prendre dans ses bras pour le promener à travers les pièces de la maison. Comment, à six heures du soir, Tarzan s'installait devant le téléviseur et miaulait pour rappeler à son maître que c'était l'heure des nouvelles. Quand Pif lisait un magazine, le chat venait toujours se coucher sur la table et semblait lire avec lui. Souvent aussi, Tarzan s'installait sur le rebord de la fenêtre et regardait les gens dans la rue. Sûrement, il devait tous les connaître.

— J'aime pas les bêtes, dit Shaft. J'aime personne.

— Alors, peut-être que tu ne t'aimes pas, ricana Pif.

— Et après ?

La route défilait. Le paysage changeait. Le Nord imposait son emprise et par-ci par-là, le long de la route, la neige fondait plus lentement, comme il arrive à la mi-novembre, ces jours où le soleil semble s'éloigner de la terre, mais la réchauffe encore assez pour que l'automne ressemble au printemps.

Ils s'étaient connus en prison. Pif condamné pour vol à main armée ; Shaft pour un meurtre au second degré, en réalité prémédité puisqu'on le lui avait payé vingt mille dollars. Pif avait purgé sa peine, tandis que Shaft, profitant d'une journée de congé, s'était évanoui dans la nature. Six mois à la campagne, dans les Laurentides, lui avaient donné le temps de se remettre d'une opération qui avait un peu modifié son signalement. Les cicatrices laissées sur le côté gauche du visage, près de l'oreille, tiraient la peau, accentuant son rictus et lui donnant un air en coin pédant et ironique.

Si Pif ne connaissait que les villes de Laval, Montréal, Sherbrooke, Sorel et, depuis quelques jours, San Francisco, Shaft, lui, avait beaucoup voyagé, notamment aux États-Unis où il avait exécuté quelques contrats comme tueur à gages. Le nom sous lequel il était connu pour le moment n'était qu'un nom d'emprunt ; Étienne Bellavance était en effet recherché par les services policiers canadiens

aussi bien qu'américains. Seuls auraient pu le trahir ses
nombreux tatouages, mais même les lettres F.T.W. gravées
sur les jointures de sa main gauche et le chiffre 22 qui
apparaissait sur son poignet ne suffisaient pas à le distinguer des autres membres de son clan de motards.

— J'ai l'impression qu'on a du monde, dit Shaft en
regardant dans le rétroviseur.

Une voiture noire les suivait, en effet.

— Il y a longtemps ?

— Assez.

— En es-tu certain ? demanda Pif.

— On sait jamais ! répondit Shaft. (Il tâta son baudrier
et, sécurisé par la présence de son arme, ajouta :) Nous
verrons bien.

— Qui veux-tu qui nous suive ?

— On sait jamais, répéta Shaft.

La voiture noire les doubla et disparut au loin.

— Tu vois, tu t'en fais pour des riens.

— Je suis comme ça. Il vaut mieux être prudent.

Il joua avec le syntoniseur de la radio et trouva un
poste francophone, au son toutefois brouillé par les interfé-
rences. Cela signifiait la fin de leur long voyage.

— Enfin ! se réjouit Shaft.

— As-tu les papiers de douane ? demanda l'autre.

— J'ai tout ce qu'il faut, mais on ne passe pas par les
postes de douane. Je connais un chemin à quelques kilomètres de Lacolle.

— Sans passer les douanes ?

— Arrive en ville ! Y a pas moins d'une dizaine
d'endroits le long de la frontière où on peut passer comme
un lièvre ni vu ni connu. Et je les connais comme le fond
de ma poche.

— C'est plus long...

— C'est plus long, mais c'est plus sûr. Au point où nous en sommes, une demi-heure de plus ou de moins...

Le camion quitta la route 87, bifurqua sur la 223, roula encore plusieurs minutes et s'engagea sur un chemin de terre sinueux qui déboucha comme par enchantement dans un verger, à côté de Clarenceville. Le tour était joué. Ils s'arrêtèrent au village pour acheter de la bière canadienne, plus alcoolisée que la bière américaine.

2

Les héritiers

UNE CAMIONNETTE Toyota rouge était stationnée à l'entrée du garage du repaire de Laval. Shaft fit lentement reculer son poids lourd le long du petit véhicule.

Tout se passa très vite. Roméo «Rambo» Rousseau sortit du garage et, aidé de Shaft et Pif, transporta les caisses de la deuxième rangée dans la camionnette où deux jeunes femmes attendaient, causant de choses et d'autres, excitées par l'événement. Shaft s'empara de la dernière caisse pour la déposer dans le garage. Le transbordement terminé, Rambo ferma la porte coulissante et frappa la tôle du poing en criant : «C'est OK!»

Céline Beauchamp mit le moteur en marche et la camionnette disparut lentement en direction de Halifax en Nouvelle-Écosse, où la cargaison devait être livrée. Silencieux, les trois hommes restèrent sur place. Quelques minutes s'écoulèrent. Une Lincoln grise s'arrêta devant le camion le temps de laisser descendre un costaud. L'homme s'approcha du poids lourd, fit un signe de tête aux trois Lavallois, monta à bord et démarra vers Windsor en Ontario pour y livrer les vraies oranges aux pressoirs de la Canadian International Juice incorporated.

Céline Beauchamp, mieux connue sous le nom de Betty, et sa compagne Tina, de son vrai nom Hélène Normandin, travaillaient comme danseuses au bar Le Rigolo de Laval. Elles devaient toucher chacune cinq mille dollars pour livrer la camionnette et son contenu à Halifax. La moitié de la somme leur avait été versée, l'autre devant l'être après leur retour par avion. Tels étaient les termes de leur contrat avec le gérant du bar, Bob Marion, lui-même employé de Jean Tremblay, qui possédait, officieusement, six boîtes de nuit du même genre, lesquelles, en réalité, appartenaient à Carl O'Burn, comme douze autres à Montréal et dans quelques autres villes de la province.

Beaucoup de gens travaillaient pour O'Burn, mais peu le connaissaient. Il avait organisé ses affaires de telle sorte que seuls ses six lieutenants puissent entrer en contact direct avec lui. On en comptait un pour les boîtes de nuit, un pour ses transactions avec les Hell's qu'il approvisionnait en drogues, par le chapitre de Lennoxville, dans les Cantons de l'Est. Un troisième lieutenant était affecté aux relations, ô combien délicates, avec la mafia ; un autre s'occupait de la flotte de camions et les deux derniers géraient le trafic des cigarettes, de l'alcool, de l'essence, ainsi que les paris, la prostitution et les agences de recrutement des danseuses nues. Toutes ces activités généraient une colossale fortune évaluée à plusieurs millions de dollars. Il possédait, disait-on sans preuve, six camions-remorques convertis en casinos, qui circulaient sans arrêt d'une province à l'autre et à bord desquels, entraînés par des putains mineures, joueurs, drogués et soûlards s'en donnaient à cœur joie.

« Qui a bu boira. Qui a joué jouera. Qui a baisé baisera. » Telle était la devise de Carl O'Burn, heureux d'empocher le paquet au bout de la chaîne, au mépris des lois, y compris celles du milieu. Il ne respectait que l'argent et soutenait qu'il en avait déjà vu l'âme.

O'Burn régnait sur l'ouest de Montréal. L'Italien Calvino Piacenti contrôlait le nord de la ville tandis que l'est était entre les mains d'un gang de Québécois, celui des frères Arsenault, célèbres pour leur goût de la publicité et leurs spectaculaires règlements de comptes. Le sud et le reste de la province étaient tacitement laissés au pouvoir des Hell's qui imposaient leurs règles un peu partout, notamment à Joliette, Laval, Sherbrooke, Lennoxville et Québec. Le principal fournisseur de drogue était incontestablement Carl O'Burn, surnommé « le Boss » ou « la Patte » car il boitait depuis un accident d'automobile.

Si la laideur avait concouru, O'Burn aurait été couvert de médailles. Chauve, le crâne bosselé, les oreilles asymétriques, la gauche étant grande, collée près du crâne, le lobe démesurément long et couvert de poils ; l'autre décollée, petite, comme une tranche de saucisson grillé. On aurait dit qu'il n'avait qu'un seul sourcil, dont les poils en broussaille dissimulaient des petits yeux pâles, presque invisibles sous des lunettes à monture dorée aux verres ultra-épais. La lèvre supérieure semblait inexistante, comme avalée par la lèvre inférieure, grasse, qui retombait sur un menton en galoche. De plus, il était petit, mal proportionné. Cependant, il avait des mains extraordinairement belles. Et il était d'une élégance à la hauteur de ses moyens, toujours vêtu sur mesure, de la tête aux pieds.

Pendant que les camions se dirigeaient chacun vers leur destination, O'Burn dégustait un cognac au bar Le Rigolo, entouré de ses lieutenants. Les danseuses nues se succédaient à sa table et les conversations, rendues difficiles par la musique, ne tournaient qu'autour du sexe, chacun y allant de ses fantasmes.

O'Burn avait été invité à dîner par son gérant, Jean Tremblay, qui lui avait remis une serviette bourrée de billets de banque. Il avait accepté, après un repas copieux, d'admirer les nouvelles danseuses.

—Celle-là! ordonna-t-il, désignant une frêle beauté qui se déhanchait nue devant lui, juchée sur ses talons hauts et exhibant son sexe rasé, obéissant ainsi aux ordres qu'elle avait reçus de tâcher de plaire au grand patron.

—Yes, boss! Où? Quand? demanda d'un air empressé le gérant qui n'attendait qu'une occasion pour se débarrasser d'O'Burn et lui succéder.

—Laisse-la se réchauffer, ricana O'Burn, et réserve-moi une suite au Nautilus. Je lui ferai faire un tour de limousine un peu plus tard.

Il commanda un autre cognac qu'il but lentement en se léchant la lèvre inférieure.

Pendant ce temps à Laval, les six membres du chapitre fêtaient le bon coup de Pif et Shaft en compagnie de trois filles qui buvaient avec eux et consommaient la poudre blanche subtilisée à la cargaison. Elles aussi dansaient nues, mais d'une manière encore plus éloquente. Quant aux colosses tatoués, eux aussi dévêtus, ils n'avaient pas assez de doigts, de langues, de sexes pour explorer les profondeurs offertes à leur convoitise.

Aux quatre coins de la grande pièce défilaient sur des écrans des images des alentours balayés par des caméras. Personne n'approchait.

Le volume de la musique, particulièrement des basses, faisait vibrer les vitres. Quand l'orgie retomba, que tous furent assouvis, la paranoïa du chef, Paul «le Pape» Veillette, refit surface en même temps qu'il émettait un puissant rot. C'est alors que, regardant les oranges dérobées et songeant aux dégâts qu'elles avaient déjà causés, il les trouva compromettantes et que, subitement, il ordonna aux filles de se retirer. Tous les membres du clan se rhabillèrent, vacillants, lâchant rires fous mêlés de jurons, blasphèmes et grossiers commentaires, dénigrant ce qu'ils venaient d'honorer. Et les filles de se sauver, vociférant et inintelligibles. Anorexiques dépravées, victimes reconnaissantes et apeurées de ces êtres démoniaques auxquels elles s'étaient vouées corps et âme tout en les haïssant.

La sonnerie du téléphone retentit cinq fois avant que Shaft ose décrocher.

— C'est pour toi, dit-il au Pape.

Une voix maquillée débita:

— Ce soir, au Nautilus, chambre vingt-sept, le pigeon y sera, vers minuit trente, avec le plus joli cul de la ville.

Le Pape écouta l'enregistrement plusieurs fois. Il était certain de connaître cette voix, mais il lui était impossible, dans l'état où il était, de la placer dans la bouche de l'un des nombreux ennemis de Carl O'Burn.

Pif, intuitif, se lança:

— Qui peut savoir, sinon qui sait? Et qui sait, sinon qui est au courant? Et qui est au courant, sinon celui qui est avec lui? Un de ses lieutenants... C'est le gérant du bar! J'en mettrais ma main au feu... C'est lui! Lui seul prononce «Gnotilus».

Il l'imita parfaitement soulevant un éclat de rire général.

— Il y a anguille sous roche, s'exclama le Pape. Pourquoi nous téléphone-t-il? Pourquoi nous donne-t-il ce tuyau? Qu'est-ce qu'il attend de nous, au juste? Est-il au courant pour les oranges? Qui l'aurait renseigné?

Personne ne répondit. Le Pape balaya ses propres questions d'un revers de la main.

— Viens avec moi, Shaft. Entre lui et nous, ce sera lui. Sinon, quand il apprendra, tôt ou tard, qu'il manque des oranges, notre compte sera bon. Vous, s'adressa-t-il aux autres membres, vous livrez la drogue le plus vite possible contre argent comptant. Compris ?

Une heure plus tard, une Jaguar rouge vif dernier modèle, avec à son bord deux hommes en complet veston croisés sur des automatiques munis de silencieux, roulait vers le motel Nautilus. En même temps, dans d'autres voitures, d'autres hommes livraient de petits sacs en plastique remplis de poudre blanche.

Elle était si belle ! Une statue ! À la ligne pure, aux cuisses de marbre blanc. Toute nue, les aréoles de ses petits seins fermes en érection, elle dansait encore dans cette chambre de motel, devant un homme qu'elle ne connaissait que par son prénom. Elle savait aussi qu'il était « le boss ». Soit, elle avait bu avant de l'accompagner, sniffé quelques lignes et fumé du hasch. Elle obéissait à des ordres, à la peur, à l'espérance de la prime. Elle dansait faussement absente, en fait émue, les yeux pleins de larmes, dégoûtée à la vue de cette chose assise dans un fauteuil, verre à la main, regardant en plus d'elle un film porno télévisé ; cette chose qui essayait de sa main libre de donner un peu de dignité à son sexe, cette chose affalée là, ivre, la chemise ouverte, bedonnante, nue à partir de la taille mais chaussettes aux pieds. La belle se serait volatilisée si elle avait pu.

Son esprit cherchait confusément un moyen d'échapper à ce tas humain quand, soudain, la porte fut enfoncée dans un terrible fracas. Deux hommes surgirent et firent feu.

La mort venait de réunir sans distinction la laideur et la beauté.

Les agents de la police de la communauté urbaine de Montréal, appelés sur les lieux, firent le premier constat et eurent tôt fait d'aviser l'escouade des homicides. Quelques minutes plus tard, le détective Brian Agerty, accompagné d'une équipe de spécialistes composée de photographes et d'experts en empreintes digitales et en balistique, se mit au travail tandis que plusieurs voitures, gyrophares allumés, entouraient l'immeuble. Arme à la main, les policiers se répandaient dans les couloirs. Une à une, les portes des chambres s'ouvrirent sur leurs ordres. Les clients, réveillés en plein sommeil ou dérangés dans leurs ébats, étaient sommés de se réunir dans le hall, en pyjama, en robe de chambre. Presque tous pieds nus, confus et gênés, ils appréhendaient le pire, quoique ignorant encore la raison de cette descente nocturne. Sortaient des chambres, en une cacophonie indescriptible, les musiques discos des radios et les cris aigus des vedettes pornos en action sur les écrans des téléviseurs. Jules Verne n'aurait pas reconnu son Nautilus.

Pas un client n'avait vu ou entendu quoi que ce soit, sinon les voisins immédiats du carnage. Le préposé à l'enregistrement ne connaissait que les faux noms des victimes du vingt-sept. Il fut le seul à être retenu pour interrogatoire. Les clients purent vider les lieux ou retourner rentabiliser leur chambre.

Après avoir mis les scellés sur la porte réparée, les policiers repartirent dans un grand brouhaha, tandis que les cadavres prenaient, dans le fourgon de la morgue, le chemin du laboratoire médico-légal.

Le lendemain, les journalistes se jetèrent sur la nouvelle comme des vautours et, tandis que le public savourait les détails du drame, les grands patrons des trois corps concernés, la gendarmerie royale du Canada, la Sûreté du

Québec et la police de la communauté urbaine de Montréal, se réunissaient pour mettre en branle l'opération top secrète *Sirocco*, en collaboration avec le FBI et Interpol.

L'inspecteur-chef Clément Bastien, de la Sûreté, dirigeait les opérations. Il prit la parole le dernier, ses supérieurs à tour de rôle ayant décrit les grandes lignes de l'opération.

— O'Burn assassiné, dit-il, il est évident que d'autres têtes vont tomber. Au point où nous en sommes, nous en savons peu. Il faut se mettre en quête de délateurs. Il y en a toujours. Entretemps, la morale sera sauve, puisque les truands s'entre-tueront. (Insistant sur chaque mot, il ajouta :) Mon expérience me dit que nous ne devons rien attendre de la justice et des politiciens.

Ses collègues répondirent par des hochements de tête.

L'inspecteur Bastien déplia lentement son grand corps maigre, dominant l'assemblée de hauts fonctionnaires auxquels il en imposait par son calme, sa probité, son intelligence, toutes qualités un peu ombragées par son alcoolisme.

Un branle-bas de combat phénoménal s'ensuivit dans toutes les unités.

Les durs se firent plus durs. Les zélés redoublèrent de zèle. Les ambitieux échafaudaient des plans de carrière. La fièvre *Sirocco* saisissait les corps policiers ankylosés par la routine. Seuls quelques grognards, suivant l'exemple de leur modèle Bastien, conservaient leur sang-froid dans la tempête soufflant sur le monde des trafiquants.

Côté face : des centaines d'oreilles, d'yeux se firent plus attentifs. Les gestes et les mouvements des suspects furent notés. Contacts, manœuvres, infiltrations, fouilles, filatures se multiplièrent, pas toujours officiels. Le clan des justiciers prenait tous les moyens pour arriver à ses fins.

Côté pile : les hors-la-loi, *pushers* et autres *dealers* se démenaient comme des termites dans les débris de leur nid.

Côté pile et côté face se confondaient souvent, la corruption étant à l'œuvre de part et d'autre.

Le lendemain du meurtre de Carl O'Burn, un appel téléphonique en provenance de Halifax apprit à Jean Tremblay que la marchandise avait été livrée.

— Tout y est ? demanda-t-il.

— Non, répondit sèchement la voix. Il manque une caisse.

— Impossible.

— Nous avons compté.

— Impossible, répéta Tremblay. Avez-vous interrogé les filles qui vous ont livré la marchandise ?

— Elles ne savent rien de plus que ce qu'elles devaient savoir.

— Alors ?

— Il manque une caisse.

— C'est sûrement le gang de Laval. C'est à eux qu'on avait confié le job.

— À toi de vérifier.

— Je vais le faire immédiatement. Et je te préviens que ça va barder.

— Tu as fait la passe, assume-la.

— Qui va me payer ? demanda Tremblay.

— Nous. Quand on aura les autres oranges.

James «Bird» Nesbit, chef du chapitre de Halifax, raccrocha en se disant : «Le chien sale. Il s'est servi des gars de Laval comme intermédiaires. Attends voir...» L'air hésitant, il s'alluma une cigarette, puis composa un numéro. Il demanda Paul «le Pape» Veillette.

C'est Pif qui répondit, toujours empressé. Il aurait vendu sa mère pour sortir du rang et monter en grade. Il visait haut et commençait à en avoir assez d'exécuter les ordres, de transporter les armes et les motos, de faire les commissions. Il répondit que le Pape n'était pas disponible : « Il n'est pas parlable. »

Bird insista sans succès, avant de demander :

— Qui parle ?

— Francœur.

— C'est James Nesbit, de Halifax.

— Il y a un message ?

— Il manque une caisse, câlisse ! Fais-lui savoir.

— Ça, il faudrait en parler à Tremblay, répondit Pif. Moi, je ne sais rien. Le Pape te rappellera plus tard. Salut !

Le Lavallois raccrocha en se fouillant le nez. Il éternua, se servit une vodka sur glace, sniffa une ligne et alla rejoindre un Pape complètement paumé, en pleine crise de folie des grandeurs. Il était assis dans le fauteuil qu'il s'était fait construire, vêtu de son costume de motard, les doigts chargés de bagues, coiffé d'un drôle de chapeau ressemblant à une tiare. Et quel trône étrange ! Un meuble énorme en bois de pin tourné, le siège et le dossier cannés, les accoudoirs recouverts de peaux de renards argentés dont les têtes empaillées avaient de faux rubis en guise d'yeux. Paupières closes, saoul, drogué, le Pape s'y berçait lentement au rythme du temps qui filait, et les berceaux gigantesques faisaient craquer, avec la régularité d'une pendule, les planches trop sèches du plancher de bois franc. Crac. Crac. Le fauteuil s'inclinait puis revenait. Le Pape s'y abandonnait à ses fantasmes sans queue ni tête, dérivant comme toujours jusqu'aux crises de paranoïa au cours desquelles il se voyait assassiné de toutes les façons imaginables : précipité en bas d'un pont, criblé de balles ou explosant au volant de sa voiture. Drôle de type, avec ses longs cheveux blonds chutant sur ses épaules, sa tiare barrant un front large, on aurait pu le prendre pour un jeune premier aux traits fins et bien dessinés.

Quand il ouvrit les yeux pour fixer Pif qui lui rendait compte du coup de fil de Bird, la haine illumina ses yeux d'acier.

Il vociféra sa litanie habituelle :

— Christ-d'hostie-de-saint-ciboire-de-saint-chrême-de-tabernacle ! Où sont les autres ? Réunion d'urgence. Passons aux actes ou nous sommes cuits.

L'intuition que Tremblay allait le liquider venait de le frapper comme l'éclair et il en tremblait presque.

— Tout de suite, tout de suite.

Pif se précipita sur le téléphone pour convoquer les membres du clan.

Au même moment, Bird téléphonait à Lennoxville et rapportait à son interlocuteur qu'il avait l'impression que la bande de Laval les avait doublés, que ces chiens transgressaient la hiérarchie. Bien plus, ils sniffent du matin au soir la drogue qui nous appartient. Ils nuisent à notre image. Ils nous volent. Il faut agir.

À l'autre bout du fil, le chef de tous les chapitres, Gaston « God » Godbout, écoutait attentivement et cherchait à se faire une idée.

Depuis quelques semaines, d'autres chapitres se plaignaient du comportement du gang de Laval. Tous attendaient du chef, sans jamais lui suggérer, qu'il tienne une réunion des membres de toutes les bandes pour trouver une solution, quelle qu'elle soit, afin de ramener Laval dans le droit chemin.

— Je réfléchis, répondit God. Tu auras des ordres très bientôt. En attendant, prends patience C'est chaud, ces temps-ci. Es-tu au courant du meurtre d'O'Burn ?

— Je lis les journaux comme tout le monde.

— Eh bien, tu vas en voir d'autres.

— Tu crois?

— Oublies-tu ses héritiers?

— Je les vois se ruer! Mais n'oublie pas non plus que je ne suis pas le seul à avoir hâte qu'on règle le cas de Laval.

— Je réfléchis. Je viens de te le dire: patience, Bird, patience...

☐

— J'ai réfléchi, commença le Pape devant les Hell's du chapitre de Laval réunis autour de lui.

Assis dans son fauteuil à bascule, toujours coiffé de sa tiare, il décréta:

— Un: tout le monde oublie les oranges. Elles n'ont jamais existé. Deux: nous ne devons rien à personne. Trois: combien en reste-t-il?

Tous les membres se regardèrent intrigués, certains songeant que le Pape était devenu fou.

Étaient présents Jean-Marie «Snif» Pratt, Laurent «la Gueule» Dupont, Claude «Moustache» Michaud, Roméo «Rambo» Rousseau, Laurent «Pif» Francœur, Jacques «Shaft» Meunier, Albert «Bert» Bertrand, Michel «Moto» Lacombe et Gérald «Small» Simpson.

— Combien reste-t-il d'oranges? répéta le Pape.

— Il n'y a pas d'oranges. Tu viens de le dire, risqua Rambo, histoire de dérider l'assemblée.

Quand tous eurent repris leur sérieux, le Pape reposa sa question.

— Nous en avons vendu beaucoup, mais il en reste quelques-unes. Deux kilos en tout, peut-être, répondit Snif, le secrétaire-trésorier du chapitre.

— Autre chose ?

— Un gros paquet de hasch, à peu près mille tablettes de LSD et des masses d'autres cochonneries.

— Il faut louer un coffre-fort pour y enfermer la marchandise, sauf une petite quantité pour notre usage personnel. Il faut trouver des gens sûrs, tranquilles, sans casier, et cacher le coffre chez eux sans qu'ils en connaissent le contenu. On dira que ce sont des papiers à mettre en lieu sûr. Chez un couple. Chez des vieux.

Il prit une profonde respiration, le temps d'observer les réactions des membres, et commanda à Pif de lui apporter une bière.

— Les héritiers d'O'Burn, enchaîna-t-il tout en se berçant, les héritiers, nous leur devons beaucoup d'argent. Les gars de Halifax ne voudront pas payer tant qu'ils n'auront pas reçu toute la marchandise, et ils ne la recevront jamais. Reste une solution : plus d'héritiers, plus de dette. Nous aurons fait notre fric, en compensation des risques que nous avons pris. Le gang de Halifax, on verra plus tard.

Fier de son raisonnement, le Pape partit d'un rire mégalomane, imité par les autres, mais Bert resta impassible et songeur, attendant que l'euphorie se calme pour déclarer nerveusement qu'il ne marchait pas et s'objectait à l'édit du Pape.

Une discussion animée s'engagea où fusaient les jurons et les blasphèmes, scandés de coups de poing sur la table.

Comme il en avait l'habitude, pour ramener ses membres à l'ordre, le Pape se mit à frapper son siège de ses doigts bagués. Il trancha, imposant :

— Ma décision est prise : pas d'héritiers. Il faut les liquider, les uns après les autres. Ceux qui ne sont pas d'accord n'ont qu'à quitter le chapitre.

— Je ne me le ferai pas dire deux fois, répliqua Bert.
Il se leva, suivi de Moto et de Small.

La scission était accomplie. Le chapitre de Laval, réputé solide, venait d'éclater.

Seul maître à bord, le chef à la tiare laissa partir les dissidents, non sans avoir partagé avec eux quelques grammes du butin volé, les invitant à la discrétion absolue sous peine de représailles. Il était plus que jamais décidé à supprimer les héritiers, de si astucieuse façon que la mafia seule serait soupçonnée, car elle avait toujours des comptes à régler avec quelqu'un. Il n'avait qu'à mettre la machine à tuer en marche. Les cadavres allaient s'accumuler.

La séance fut levée. Pif et Rambo, qui habitaient au repaire, restèrent seuls. Le Pape était parti le dernier après avoir enlevé son déguisement, toujours méfiant, scrutant l'obscurité à la recherche d'un ennemi. Il prit le volant de sa Jaguar rouge, hésita à mettre le contact, craignant un instant qu'elle ne soit piégée. Puis il rentra chez lui, boulevard Saint-Laurent, au dernier étage d'une ancienne fabrique.

Le jour se levait sous un ciel laiteux. Le Pape, fatigué par cette nuit mouvementée, gara sa rutilante voiture dans l'arrière-cour. Il prit le sac en papier brun dans lequel il avait enfermé une orange et monta au quatrième étage par le monte-charge dont il avait fait son ascenseur. Il était dans un état second, encore sous le choc des dopants et de ses graves décisions, le teint blafard et l'air préoccupé.

Il philosophait en entrant dans son loft. « Peut-être la peur se nourrit-elle d'elle-même ? » dit-il en parlant tout haut pour se rassurer.

— Il y a quelqu'un ? Es-tu là, Mimi ? C'est moi... C'est moi !

Il n'y avait personne. Mimi n'était pas là.

Il avait complètement oublié qu'elle était au chalet de Morin-Heights dans les Laurentides.

Il déposa l'orange sur la table à café, chiffonna le sac qu'il alla jeter dans la corbeille de la salle de bains où il se dénuda pour se doucher, non sans se regarder vaniteusement dans les miroirs qui lui renvoyaient l'image de ses nombreux tatouages. L'épaule droite était couverte de fils d'araignée emprisonnant dans leurs dentelles noires trois crânes, auxquels s'accrochaient d'autres crânes plus petits. Dans les fioritures des dessins apparaissait l'inscription « White Power », ainsi qu'une croix gammée, le sigle des SS et le chiffre 22.

Il contempla son épaule gauche où d'autres crânes étaient disposés en cercle. Certains avaient les yeux noirs, d'autres rouges. Plusieurs autres petits crânes avaient aussi été tracés autour de l'inscription : « Hell's ». Son torse affichait les chiffres 69, 666, les lettres D.F.F.L., F.T.W., un poing fermé entouré d'un cercle, un petit cheval ailé, un aigle aux mille plumes, une main tenant une torche enflammée où d'autres crânes étaient dévorés par les flammes. Sur son sein gauche, le nom de Mimi s'étalait en lettres rouges, surmonté du chiffre 13 encerclé de noir. Le jeu de miroirs lui permit de regarder son dos. S'y trouvaient le mot « Hell's », une tête de mort casquée et ailée, la date 7.7.81 (celle de son admission au club) et le mot « World », témoignant de son appartenance à l'internationale des Hell's. En plus petit, les lettres M.C.

Arrogant, il soutint son propre regard, complètement narcissique et dévoré par un instinct de meurtre tel que l'idée de s'assassiner lui-même lui traversa l'esprit.

Il resta longtemps sous la douche. Une fois séché, il revêtit une robe de chambre blanche en ratine ornée de ses initiales brodées d'or, enfila des pantoufles également dorées et pénétra solennellement dans un immense living. Il plaça un disque sur une chaîne ultramoderne et, tandis que retentissaient les airs de La Bohème de Puccini, dévissa l'orange et traça quelques lignes de poudre sur la table.

Il ne consomma pas immédiatement. Il s'affala dans un fauteuil de cuir blanc pour écouter et chanter, alors que l'émotion musicale le soulevait. Il prémédita ses meurtres, calmement, en battant la mesure, jouissant du luxe et du confort de son domicile : une pièce unique de dix mètres sur quinze où l'on trouvait chambre et salon. Le sol était couvert d'un épais tapis noir, les murs et les plafonds de stuc blanc et tous les meubles étaient blancs, rouges ou noirs. Les lampes et les fauteuils étaient design italien. Sur le mur immense du salon, une grande toile de Borduas paraissait petite. Le lit trônait sur une estrade enveloppée d'un rideau de velours rouge.

Chantant à tue-tête, le Pape peaufinait son plan. Il alla vers la cuisine, ouvrit une boîte de foie de morue et appela Freud et Jung, deux vieux siamois paresseux. Il s'étendit sur le lit, songeant à ce qu'il aurait pu être s'il n'avait pas été Hell's. Les chats, repus, vinrent se coucher près de lui et ils s'endormirent tous les trois.

Deux heures plus tard, frais et dispos comme s'il avait dormi toute une nuit, il mettait ses projets à exécution.

— Tremblay ? C'est Veillette ! Ça va ?

— Ça va pas mal, mais ça irait mieux avec du fric.

— Ça viendra, ça viendra. Faut pas s'énerver. En attendant, qu'est-ce que tu dirais d'un petit cadeau ?

— Un cadeau ! Quel cadeau ?

— Ce que tu veux. Quelque chose qui te prouverait, en attendant mieux, notre bonne volonté.

— Veux-tu m'acheter ?

— Pas du tout. C'est juste en attendant le gâteau. Qu'est-ce que tu aimerais avoir ?

— Si tu insistes, hésita Tremblay, qui ne se refusait jamais rien, j'aimerais bien...

— Vas-y carrément, demande ce que tu veux, ce qui te ferait plaisir.

— Je viens de déménager. Tu sais, je viens de me séparer de ma femme à qui j'ai laissé tous les meubles. Alors je ne dirais pas non si tu m'offrais une télé.

— Rien que ça? C'est tout? Je pensais que tu me demanderais une Cadillac.

Les deux hommes se mirent à rire. L'un de recevoir un présent, l'autre de la naïveté de Tremblay qui tombait dans le piège.

— Tu la veux quand?

— Samedi, avant le début de la partie, je veux pas manquer la partie de hockey. Nous serons à la maison.

— Nous?

— Moi et des hommes d'O'Burn. Ti-Louis Saint-Mars, tu connais? Et Paul Latortue et Réjean Saint-Onge. On va pendre la crémaillère.

— Tu peux compter sur moi.

— Hé! N'oublie pas: ce n'est pas une télé qui remplacera le magot.

— Je sais, mais tu patienteras mieux en la regardant, s'esclaffa Veillette. Allez, au revoir!

Le Pape effleura une touche sur son combiné et attendit qu'on lui réponde.

— Rambo à l'écoute.

— C'est moi.

— Salut, le Pape! Ça va aujourd'hui?

— Ça va très bien. Dis, peux-tu me trafiquer une télé?

— Trafiquer?

— Oui, trafiquer. Tu sais ce que je veux dire.

— Je peux trafiquer n'importe quoi, tout dépend comment ça paye.

— Avec moi, ça paye toujours.

— C'est pour quand ?

— Samedi.

— As-tu la télé ?

— Nous l'achèterons cet après-midi. Je te rappelle à quatorze heures.

Et le Pape téléphona, aux deux autres lieutenants du défunt. Eux aussi allaient recevoir un beau cadeau. Bob Marion, le gérant du bar Le Rigolo, sa Toyota Supra ; Calvino Piacenti, le mafioso du nord, sa Cadillac noire.

Tous allaient toucher une avance sur leur héritage.

Le Pape se versa une vodka glacée, renifla une des lignes de neige qui attendaient sur la table et se plongea dans son grand fauteuil en allumant une cigarette. Si tout se passait comme prévu, personne ne pourrait le soupçonner. Les gars de Halifax n'avaient qu'à écouler la drogue et lui foutre la paix. Il avait seulement pris sa part de dope. Ceux de Sorel, de Sherbrooke ou de Joliette n'avaient qu'à rester tranquilles. Chacun son tour.

Fier de lui, il se leva pour arpenter la grande pièce. La coke lui confirmait sa suprême intelligence et son invulnérabilité. S'il le désirait, il pouvait devenir le chef mondial des Hell's. Il ne marchait plus, il volait. Il lui semblait qu'un coussin d'air le portait. Son cerveau, constamment bombardé d'idées de meurtres, liquidait à froid tous ceux ou celles qui avaient la moindre raison de s'opposer à ses volontés. Les siamois le suivaient pas à pas. Il s'adressait à Freud sur un ton qui ne supportait pas de réplique, puis se faisait plus doux avec Jung. Il leur parlait sans cesse, divaguant, riant de bon cœur, puis, soudainement, il se figura en victime. Il alla chercher sa veste pare-balles et l'enfila, puis revêtit un complet trois-pièces de coupe italienne qui lui donnait l'allure d'un mannequin. Même si le soleil n'était pas au rendez-vous, il s'affubla de lunettes aux verres teintés pour dissimuler son regard.

Il se regarda dans le miroir suspendu dans l'entrée au-dessus d'une console en marbre blanc, détacha une rose blanche du bouquet qui s'y trouvait, la glissa dans la boutonnière de sa veste, puis il appuya délicatement sur le rebord du miroir qui s'ouvrit comme par enchantement, dévoilant un coffre-fort. Il en retira plusieurs liasses de billets de banque qu'il déposa dans une mallette en cuir noir. Il referma l'ensemble, ajusta son nœud de cravate et sortit en sifflotant un air de *La Bohème*.

Il retrouva Rambo chez un marchand de téléviseurs, acheta le dernier modèle haut de gamme de Sony, lequel prit le chemin du repaire de Laval dans le camion de Rambo qui allait le modifier délicatement. Il avait deux jours devant lui, plus qu'il n'en fallait.

Le Pape poursuivit ses emplettes. Il acheta au nom de Calvino Piacenti une Cadillac qu'il fit également livrer au local de Laval. Idem chez Toyota, cette fois au nom de Bob Marion. Il paya comptant sous les yeux ébahis des gérants qui ne voyaient pas ça tous les jours, mais se gardèrent bien de poser des questions. Le Pape signa les papiers d'usage et repartit au volant de sa Jaguar, délesté de plusieurs milliers de dollars mais gagnant, se répétant à lui-même : « O'Burn n'aura pas d'héritiers. »

Il fila au motel Nautilus, se dirigea avec l'assurance d'un propriétaire jusqu'au bar où il commanda une vodka sur glace en attendant Mike Water.

Mike Water n'était pas un motard. C'était un « free-lance » qui proposait ses talents au plus offrant. Il aurait même servi les policiers le cas échéant.

Un colosse dans la quarantaine entra, suivi du regard par les quelques clients réguliers des cinq à sept offrant

deux consommations pour le prix d'une. Il se dirigea vers
le Pape, lui serra la main, commanda un dry Martini, et les
deux hommes s'installèrent à une table en retrait, au fond
de la salle. Water était un bel homme au sourire moqueur,
le front large et le regard brillant. Il était rapide en affaires
et allait droit au but, d'où son surnom de Presto.

— Combien pour livrer une télé ? demanda le Pape.

— Je ne suis pas livreur, que je sache. Tu blagues ?

— Pas du tout. Ce n'est pas une télé comme les autres.

— Qu'est-ce qu'elle a de différent ?

— Rien à première vue, mais elle contient une surprise. Tu piges ?

— Je n'ai pas besoin de connaître les détails. Ce que
j'ai besoin de savoir, c'est le prix.

— Neuf cents et quelques.

— Pas le prix de la télé, le prix de la livraison.

— Vingt mille.

— …Dont dix dès maintenant, riposta Water.

Le Pape ne broncha pas, habitué à négocier. Du pouce
droit, il se frotta le bout des doigts de la main gauche, puis
après un court moment de silence, répondit :

— C'est O.K. pour le comptant. Pour le reste, ça peut
toujours attendre un peu, dépendamment de la suite.

— Quelle suite ?

— Tu ne chômeras pas ces temps-ci.

— Marché conclu, dit Water, la moitié aujourd'hui, la
moitié plus tard.

Ils vidèrent leurs verres et sortirent, l'air de rien,
comme s'ils venaient de parler du mauvais temps qui per-
sistait. Ils vérifièrent qu'ils n'étaient pas surveillés et montèrent dans la Jaguar où le Pape ouvrit sa mallette. Il
compta les liasses à la vitesse d'un caissier de banque et en
mit plusieurs dans ses poches. Il referma la mallette et la

déposa sur les genoux de Water qui l'avait observé en silence.

— Je t'en fais cadeau. Le compte y est. Samedi prochain, au plus tard à six heures, tu viendras au local en taxi. Rambo t'accompagnera. Vous enfilerez des tenues de livreur. Rambo ramènera la camionnette. Toi, tu foutras le camp où tu voudras.

— J'ai des billets pour la joute de hockey de samedi.

— Ça tombe bien, ricana le Pape, tu ne seras pas loin du forum. Nos amis veulent suivre la partie à la télé, c'est pour ça qu'il faut la livrer avant huit heures.

— Mon intuition, enchaîna Water, me dit qu'ils vont rater des buts.

Ils se quittèrent, après que le Pape eut donné un léger coup du revers de la main sur l'épaule de son complice.

Water monta sans se retourner dans sa BMW. Le Pape attendit qu'il soit hors de vue pour démarrer et partir vers Morin-Heights, dans les Laurentides, rendre une courte visite à Mimi.

Vers la fin de l'après-midi du samedi, Rambo mettait la dernière main à la Cadillac et à la Toyota stationnées dans le garage du repaire de Laval. Elles seraient prêtes à être livrées. Le Pape déciderait du moment opportun. D'autres membres mangeaient attablés dans la cuisine du local en attendant, comme des centaines de milliers d'autres spectateurs, que commence la diffusion de la partie de hockey entre les Bruins de Boston et les Canadiens de Montréal.

Après plusieurs jours de grisaille, il neigeait enfin mollement. La neige apportait une douce luminosité et l'espérance d'un Noël tout blanc, dans un mois jour pour jour. Les façades des grands magasins étaient déjà décorées. Les vitrines étalaient dans un déploiement de luxe

presque indécent tous les articles et objets de consomma-
tion possibles et désirables. Dans les quartiers riches, les
tentures des fenêtres des salons étaient tenues écartées
pour que les passants puissent admirer l'arbre de Noël
scintillant. Les employés de bureau s'étaient déjà organisés
et attendaient leurs primes de fin d'année.

La joute de hockey avait vidé les rues. Les parkings
proches du forum étaient bondés, de même que les restaurants de la rue Sainte-Catherine.

Water se présenta au rendez-vous comme convenu.
Rambo l'accueillit froidement et lui donna une salopette
qu'il enfila sans un mot. L'heure était grave.

— Tout est prêt, dit Rambo, allons-y.

Quelques minutes plus tard, ils arrivèrent boulevard
Maisonneuve.

— Il y a deux boîtes. Le téléviseur est dans l'une,
l'autre contient le socle et les enceintes. Demande au con-
cierge d'ouvrir les portes du garage. Je me gare.

Water sonna. Une femme répondit, revêche :

— Passez par l'entrée principale comme tout le
monde.

— Nous ne pouvons pas garer la camionnette.

— Mettez-vous en double file, trancha-t-elle d'une
voix désagréable.

Water ne souffrait pas les contrariétés. Il traita la voix
anonyme de tous les noms et d'un coup de poing violent gondola la tôle des boîtes aux lettres. Il revint à la
camionnette. Rambo resta en pleine rue, alluma ses feux
de détresse et vint aider Water à transporter les caisses
dans le hall de l'immeuble.

Rambo sonna au 917. Une voix demanda :

— Qui est-ce ?

— La télé, répondit-il.

Le temps d'entendre le grésillement électrique de la serrure automatique, la porte s'ouvrait, maintenue par le pied de Water. Les boîtes furent déposées devant l'ascenseur. Ils attendirent. Une femme âgée en sortit, les saluant.

— C'est pour moi? demanda-t-elle, lisant la marque Sony imprimée sur les caisses.

— Non, madame, répondit Water en riant, vous n'êtes même pas chez vous pour en prendre livraison.

— J'en ai déjà une. Elle fonctionne très bien, répliqua la dame, engageant la conversation.

— Tant mieux pour vous.

— C'est un modèle récent? continuait-elle, comme les portes de l'ascenseur se refermaient sur les livreurs et les boîtes.

L'appartement 917 sentait la peinture fraîche. Un désordre d'emménagement régnait. Sur la table, Water remarqua des restes de poulet, des bouteilles de vin entamées, des verres sales. L'atmosphère était plutôt joviale.

— Juste à temps pour le match, se réjouit Tremblay. Posez-la dans ce coin, ordonna-t-il, désignant du doigt un angle de la pièce près des portes-fenêtres légèrement entrouvertes.

Les deux hommes s'exécutèrent.

— Un verre?

— Pas le temps, répondit Water, on est en double file et on a d'autres télés à livrer.

— Dommage, vous auriez pu regarder la partie avec nous. Les Canadiens vont sûrement gagner.

— Moi, vous savez, le hockey, dit Rambo, ça m'ennuie à mort.

— Quechtion de goût, répliqua Tremblay en prononçant comme s'il avait eu une patate chaude dans la bouche.

Là-dessus, les livreurs sortirent et se dirigèrent vers l'ascenseur, sans parler ni même se regarder, tandis que, dans l'appartement, les quatre hommes se précipitaient comme des enfants sur l'appareil.

— Tu parles d'une télé!

— Dernier cri!

— On fait pas mieux!

Ils s'avachirent sur les fauteuils et Louis Saint-Mars s'empressa de jouer avec la télécommande, sans résultat.

— Elle ne fonctionne pas!

— Si tu la branchais, peut-être bien que ça marcherait, maudit cave, ricana Latortue.

Saint-Mars déroula le fil et inséra la fiche dans la prise.

Il appuya une nouvelle fois sur la télécommande. Trois appartements volèrent en éclats. La secousse ébranla jusqu'aux immeubles voisins. Les gens se précipitèrent aux fenêtres. Les questions fusaient: «D'où cela venait-il?» Et bientôt dans le tumulte: «Qui habitait donc le 917?»

Heureusement pour eux, les locataires du 916 et du 918 étaient absents. La tension retomba un peu. Sauf pour les malheureux voisins hospitalisés pour choc nerveux et la petite dame à la Sony qui donnait pour la énième fois une description des livreurs.

Enfin, les restes des victimes prirent le chemin du laboratoire médico-légal, et le fait divers s'ajouta à la liste des nouvelles du jour avec la victoire des Canadiens.

Le journal télévisé montra l'immeuble, les appartements touchés, leurs tentures en lambeaux ballottées par un triste vent de novembre.

Au quartier général de la Sûreté du Québec, l'opération *Sirocco* suivait son cours. Des détectives passaient les

fichiers au peigne fin. De grands panneaux de liège exposaient les photos des suspects. Sous chacune d'elles, un
nom, une adresse, parfois des empreintes digitales. Des
étoiles rouges distinguaient ceux qui avaient déjà fait de la
prison. D'autres, bleues, ceux qui avaient seulement été
cités dans des enquêtes. Les trois murs de la grande salle
en étaient recouverts. Des gangs, des chefs, des réseaux se
dessinaient, soulignés au feutre.

Mais les interrogatoires n'avaient toujours rien donné
de précis.

Restait le silence des victimes.

3

Mimi

Mimi était âgée de vingt-quatre ans. Contrairement aux autres amies des motards aux longs cheveux blonds, elle les avait courts et d'un noir de jais, naturellement lustrés comme ceux des Indiennes. Petite, musclée, tout en nerfs. Les yeux bleus, le regard effronté et provocant. Petite, oui, de petits seins, un bassin d'adolescente, mais un sacré culot pour se mettre en valeur.

À seize ans, elle quittait la petite demeure familiale de Pointe-au-Lac, près de Trois-Rivières, comme ça, sur un coup de tête matinal. Elle n'était pas heureuse. Ses parents buvaient comme des trous, se disputaient sans cesse, se réconciliaient le temps de baiser et reprenaient la routine.

Mimi était l'aînée. Après elle, avait suivi une poignée de marmots des deux sexes, vilaine engeance de délinquants. Les graines de chardon donnent des fleurs de chardon.

Sa mère, née Élisabeth Baumier, était déjà vieille à quarante ans d'avoir travaillé dès son plus jeune âge.

Raoul Beaucage, lui, colportait tout ce qu'il était possible de vendre : brosses diverses, sirops, batteries de cuisine, aspirateurs, machines à coudre, réfrigérateurs, voitures. Il arrosait les bonnes affaires avec sa femme. Le lendemain reprenaient les injures et les coups. Puis venait la dépression. Enfin, la soif lui faisait reprendre le collier jusqu'à la prochaine chute. Cette fois, il avait eu la main un peu lourde pour sa fille.

Elle avait rassemblé ce qui lui appartenait, fourré le tout dans un baluchon en denim délavé et, vêtue d'un blouson et d'un jean, était allée s'installer sur le bord du chemin du Roy qui longe le fleuve et mène à Montréal, sans un regard pour les rives magnifiques où elle avait vécu jusque-là.

Le destin fit qu'un Hell's la prit sous son aile. Eddy «Crash» Croteau, de dix ans son aîné, revenait d'une livraison inavouable à Trois-Rivières. Filant à toute allure au volant de sa Corvette dorée, il aperçut soudain sur le bord de la route ce drôle de faux garçon et ressentit le frisson de sa vie. Il écrasa le frein devant les bottillons lacés, la veste à franges, le petit nez retroussé, l'éclair des yeux bleus et le joli sourire.

Il recula si vite que ses pneus tracèrent une ligne noire sur l'asphalte, stoppa, ouvrit la portière et demanda avec l'assurance du macho :

— Monte, gamin. Où vas-tu ?

— N'importe où, répondit Mimi.

— Je rentre à Montréal. Ça te va ?

Elle monta, déposant son baluchon à ses pieds.

— Je te lâche où ? D'ici Montréal, y a du pays.

— Pourvu que je m'en aille...

— Où ?

— N'importe où.

— Pourquoi ?

— Pour vivre.

— Vivre quoi ?

Il éclata de rire.

Elle raconta les raisons de son départ, réussissant à en rajouter. Il écouta le sourire aux lèvres et, quand elle eut terminé, demanda :

— Tu connais quelqu'un à Montréal ? Tu as un endroit où aller ?

Elle hésita :

— J'ai de la famille. Je connais des endroits. Je trouverai...

— Je ne te crois pas.

— Tant pis pour vous, dit-elle avec culot.

— Tant pis pour toi, répliqua-t-il. Moi, je m'en sacre !

Puis, sur un ton plus ferme et plus tranchant, il ajouta :

— Écoute, jeune homme. Tout ce que tu racontes ne tient pas debout. O.K., tu quittes ta famille, O.K. tu as du cran, mais tu es complètement perdu.

Elle évita de le regarder et se rebiffa :

— Je ne suis pas un gamin. Je suis une fille et je peux te le prouver. Quant à savoir où aller, je m'en crisse en hostie.

Elle fondit en larmes, la tête appuyée sur la vitre de la portière, extirpant de la poche de sa veste des Kleenex sales.

Il rangea la voiture et tenta de la consoler :

— Écoute, ce n'est pas grave. Si je t'ai appelée gamin, c'était pour blaguer. Ne sois pas susceptible. Tu t'inquiètes pour rien. Eh écoute un peu. Cesse de chialer, tu vas te déshydrater.

Il n'arrivait pas à consoler Mimi.

— Je vais m'occuper de toi, si tu veux. Tu ne le regretteras pas.

Ravalant sa salive, elle le regarda, attendrie, heureuse comme une victime sauvée de la noyade et, s'efforçant de sourire tout en mâchant sa gomme, lui dit :

— J'aime bien le «gamin». Tu peux m'appeler comme ça, si tu veux.

— Entendu, gamin! Nous allons nous entendre.

Il s'occupa d'elle en effet, l'emmena chez lui à Montréal, l'étourdit d'argent, de sorties, de luxe, et l'initia sans peine à tous les plaisirs de la vie. Puis il la confia à Josette Courtois, Jojo, la danseuse vedette du club Les Nuits Blanches qu'il possédait. Elle allait parfaire son éducation.

Six mois plus tard, on la présentait comme une vedette du milieu dont elle avait rapidement appris les règles, les usages et les mœurs. Elle menait une vie de fou. Elle buvait et se droguait, ne dormait jamais plus de six heures, allait chaque jour, sauf le dimanche, à ses cours de danse et de gymnastique, travaillait jusqu'à deux heures du matin, parfois plus, six soirs par semaine.

Deux ans de ce régime n'avaient même pas altéré sa beauté, seuls ses yeux extrêmement cernés trahissaient sa fatigue.

Crash la mit enceinte. Elle se fit avorter. Quelques semaines passèrent et elle se retrouva encore grosse. Elle garda l'enfant. Un an plus tard, un autre suivit. Aussitôt remise de l'accouchement, elle avait confié le bébé à une nurse et était remontée brûler les planches. Vingt-quatre autres danseuses étaient comme elle reléguées dans la boîte de midi à l'aube, entre les tabourets et la piste de danse, abreuvant les clients et leur donnant le spectacle érotique qu'ils demandaient.

La vaste scène était balayée par les projecteurs multicolores, les *black lights* et les stroboscopes. Des miroirs couvraient le plafond, les murs, même le plancher, de sorte que les voyeurs soient servis. De temps en temps, des rayons laser fulgurants jaillissaient des murs pour illuminer le sexe des vedettes.

La promiscuité était extrême, la musique assourdissante et l'atmosphère viciée par la fumée de cigarettes, les parfums dispensés par la ventilation et l'odeur de transpiration. Celle des hommes qui convoitaient et celle des femmes qui se démenaient. Sur d'énormes écrans suspendus aux angles des murs et des plafonds, des films pornographiques étaient sans cesse projetés.

La plupart des clients vidaient bière sur bière. Quelques-uns, plus rares, commandaient des alcools, du vin ou du champagne. Il s'agissait surtout de couples en goguette.

Sur la scène, une fille dansait. Parfois deux, mimant de torrides caresses. Puis, à la fin de chaque programme, toutes se réunissaient sur scène pour un final dysharmonieux, chacune faisant de son mieux pour éclipser ses concurrentes dans l'espoir d'être invitée à danser à la table d'un client.

Telle était la routine. Certaines nuits cependant, bien après l'heure de fermeture, des clients privilégiés, souvent des amis du patron, restaient attablés. Le spectacle prenait une autre allure et l'orgie qui s'ensuivait dépassait tout ce que l'on pouvait imaginer. Car contrairement à ce qui était toléré aux heures normales, l'alcool et la drogue aidant, les danseuses et les clients passaient à l'acte.

Une de ces nuits, Mimi, la belle Mimi, se donnait en spectacle devant des amis de Crash, parmi lesquels quelques motards dont Shaft et le Pape. Ils étaient assis sur des bancs, près de la scène, buvant du cognac à même la bouteille, quand elle apparut sur scène, parée de chaînes, ne portant qu'un minuscule cache-sexe en cuir. Sauvagement enflammée, elle exécuta son numéro de danse aux rythmes fous d'une musique *hard* américaine. Tous les spectateurs furent transportés.

Tout le répertoire y passa. Le collier de perles blanches se faufila le long de toutes les commissures de la goulue Mimi qui se déhanchait comme une bête. La gracieuse feignit d'arrêter là le spectacle mais, encouragée par les cris et les applaudissements des invités de Crash, revint sur scène après avoir inhalé un peu de neige, tenant dans la main un énorme phallus rose en caoutchouc affublé de deux hideuses couilles aplaties lui donnant son assise. Elle le déposa sur la scène et dansa autour, puis elle appuya ses pieds nus sur les testicules et, lentement, suivant le rythme de la musique, elle s'empala, encouragée par des exclamations frénétiques.

Le regard pervers, elle grimaçait, la langue offerte. Le Pape, assis devant elle, était comme fou. Il se leva, sortit cinq billets de cent dollars de sa poche et les jeta à ses pieds. Il n'eut pas le temps de descendre la fermeture éclair de son pantalon que Crash, pris d'un terrible élan de jalousie, lui avait administré un coup de poing sur l'épaule qui l'envoya rouler par terre. La bagarre éclata. Les danseuses se précipitèrent vers leurs loges. Mimi enfila prestement une robe mais resta sur les lieux. Elle ferma le juke-box et éteignit quelques lumières. Puis elle entendit nettement des coups de feu. Elle pensa fuir à son tour, mais elle revint vers Crash, moins par amour que par curiosité. Elle resta un moment figée, les yeux hagards, la bouche ouverte. Il gisait par terre, les bras en croix, une balle en plein front. Le gérant du club reposait à côté de lui, atteint à la poitrine. Shaft était dans les pommes, affalé sur une chaise, et le Pape se traînait vers les toilettes, pistolet à la main, laissant une traînée de sang sur son passage.

— Ne tire pas, cria-t-elle au Pape, qui la fixait méchamment. Attends, je vais t'aider.

Elle rassembla toutes ses forces pour le remettre debout et l'emmena jusqu'à la salle de bains où elle le soigna tant bien que mal, essuyant la plaie avec des serviettes de table en papier. Ce n'était qu'une petite blessure à la cuisse causée par un tesson de bouteille sur lequel il était tombé. Sa mauvaise nature lui avait fait imaginer le pire. Ayant remis son revolver dans son baudrier, il donnait ses ordres à Mimi :

— Donne-moi une serviette imbibée d'eau froide. Faut ranimer Shaft au plus sacrant !

Après avoir flanqué des compresses glacées sur la figure de Shaft, le Pape le secoua brutalement en le suppliant.

— Réveille-toi, Shaft. Reviens sur terre. Il faut qu'on se tire.

L'autre reprit connaissance et, tout éberlué, ouvrit les yeux en s'exclamant :

— Je me suis cru mort, hostie !

— Tu es bien vivant.

— Qu'est-ce qui s'est passé ?

Le Pape désigna de la main les deux cadavres.

— Je n'ai pas eu le choix. Ils étaient armés, ils allaient nous tirer.

Shaft se frotta le crâne.

— Ciboire, dit-il, quel coup ! Ils auraient pu me le fendre.

Mimi demeurait muette, luttant contre les effets de l'alcool et des drogues. Tout s'était passé si vite !

— Qu'est-ce qu'on fait, demanda Shaft en se levant et se tâtant le corps.

— On s'en va, vite.

— Et elle ?

— Hé ! dit le Pape s'adressant à Mimi, tu ne vas pas rester là à attendre l'enterrement.

Elle désigna le corps de Crash.

— Je vis avec lui, avec les enfants.

— Tu es le seul témoin, trancha le Pape. Je ne vais tout de même pas te laisser partir comme ça. Tu vas venir avec nous.

— Où ? demanda Mimi.

— On verra en temps voulu.

Suivant Mimi, ils sortirent par la porte arrière donnant sur une ruelle et se hâtèrent jusqu'au parking où le Pape avait garé sa voiture.

Une fois dans la voiture, Veillette déclara à Mimi :

— Je te laisse chez toi, le temps de reconduire Shaft. Tu plies bagage. Tu ramasses tout ce qui t'appartient, tu habilles tes petits monstres et je reviens te prendre en camionnette.

— Pour aller où ?

— Tu verras.

— Qu'est-ce que je fais avec la nurse ?

— Tu l'amènes.

Il reconduisit Mimi, fit un saut à Laval pour y laisser Shaft et rentra chez lui se laver et se changer.

«Règlement de comptes», titra la presse.

La disparition de Mimi ne fut même pas rapportée à la police. Les danseuses savaient toutes qu'il était vital pour elles de n'en pas souffler mot.

C'est ainsi que Mimi devint la danseuse exclusive du Pape. Elle descendait assez souvent à Montréal, vivait quelques jours dans le loft du Pape, courait les magasins, allait au cinéma, et s'offrait des dîners gastronomiques, puis elle retournait dans les Laurentides mener un bon petit train de vie dans le joli village de Saint-Sauveur, haut lieu de villégiature pour petits et grands bourgeois, gangsters et artistes bien cotés. Le Pape, quant à lui, n'avait rien changé à ses habitudes, sinon qu'il faisait la navette plus souvent entre ses deux résidences et le repaire de Laval.

— Voilà m'sieu Veillette qui a'ive, madame. Je viens d'ape'cevoi' sa voitu'e su' le chemin Campbell, c'est lui, j'en suis ce'taine. C'est sa Jagua'.

Nicole Lamouette, la nurse haïtienne, ne se trompait pas. Le Pape arrivait à Morin-Heights après avoir roulé sur l'autoroute pendant plus d'une heure dans des conditions rendues désagréables par le verglas. Elle le voyait arriver de la fenêtre de la cuisine où elle préparait le repas du soir. Les enfants avaient déjà mangé, ils avaient pris leur bain, elle se préparait à les mettre au lit.

Mimi quitta le fauteuil où elle feuilletait une revue de mode en attendant le dîner. Des bûches d'érable brûlaient dans la cheminée. Elle alla vers la fenêtre.

— Oui, c'est lui. Mets un autre couvert, Nicole. Il va peut-être manger.

Mimi courut à la salle de bains se refaire une beauté.

Le Pape entra comme un seigneur en son manoir.

— Salut, Chocolat, dit-il à Nicole. Mimi est là?

— À la salle de bains, je c'ois, m'sieu. Elle se fait belle pou' vous, ca' je vous ai vu a'iver su' le chemin et je lui ai dit: « Madame, voilà monsieu' Veillette qui a'ive, je 'econnais sa voitu'e. » Et elle est montée tout de suite.

Le Pape ne daigna pas répondre à ce babillage et monta à l'étage.

— Mimi, cria-t-il, je suis là.

La belle sortit de la salle de bains, poudrée et maquillée à la hâte.

— Je ne t'attendais pas, dit-elle. Quelle surprise!

— Je ne suis pas une surprise, répondit le Pape. Je suis une prise sûre, à longue ou brève échéance.

Mimi trouva la répartie drôle. Le Pape sortit de ses poches des liasses de billets de banque.

— Planque ça quelque part, Mimi. On sait jamais.

Mimi ramassa les liasses pour les ranger derrière des vêtements dans une grande armoire en pin. Elle en referma les portes et glissa la clé dans la poche de son jean.

— Tu manges avec moi ?

— Je n'ai pas faim. Faut que je retourne à Montréal.

— Tu as le temps de boire une vodka ?

— Pourquoi pas.

Après avoir pressé du bout des doigts le mécanisme qui fermait la trappe de l'escalier, isolant complètement le premier étage du rez-de-chaussée, elle alla vers un bar placé sous une grande fenêtre ornée de vitraux gothiques si jolis le matin au soleil levant. Exauçant le vœu du Pape, elle lui prépara une vodka sur glace, comme il aimait, noyée d'eau.

Elle s'empara d'une bouteille de champagne entamée, dans le goulot de laquelle elle avait déposé une cuillère en argent, car elle avait entendu dire que le procédé permettait de conserver l'effervescence du breuvage. Elle remplit une flûte et la mousse confirma l'efficacité de l'astuce.

Le Pape vidait le contenu de ses poches sur le lit : des enveloppes de poudre blanche, ainsi que quelques grammes de haschisch.

— C'est un cadeau. Pour tuer le temps.

— Ça tombe bien, la réserve diminuait un peu. On en prend ?

— OK. De la neige.

Elle ouvrit un sachet et traça quelques lignes sur le plateau du chiffonnier ; ils inhalèrent à tour de rôle. Une certaine euphorie s'empara d'eux et Mimi, qui n'avait pas grand-chose à dire, raconta les progrès des enfants, soudain si intelligents et si gentils, la nurse qui causait, mais causait tellement et, en l'imitant, elle fit se tordre de rire le Pape.

— Tu veux que je danse ? demanda-t-elle à brûle-pourpoint. Tu sais, je danse tous les jours toute seule, c'est plus fort que moi ! Si tu voulais, j'y retournerais, je m'ennuie du bar. Je m'ennuie des filles. C'est normal, je ne sais faire que ça. Crash…

— Ne parle pas de Crash. Ne parle pas, danse, dit-il avec impatience. Oui, danse et sois salope.

— Ne te fâche pas. Si j'ai prononcé son nom, c'est que c'est lui qui m'a mise sur le *stage*. Mais comme il n'est plus là, tu as raison, autant l'oublier.

Elle inséra une cassette sur laquelle se succédaient ses chanteuses préférées. Elle commença son strip-tease, comme si elle avait été magiquement transportée sur la scène des Nuits Blanches. Elle chantait juste, à l'unisson des vedettes qu'elle entendait, se déhanchant, déboutonnant sa chemise rouge vif, dont elle noua les pans sous ses petits seins. Elle enleva lentement son jean avec grâce et continua de s'effeuiller ainsi jusqu'à la nudité. Une fois sa petite culotte lancée au Pape qui l'attrapa et se la mit sous le nez, ne lui restaient plus que ses souliers à talons aiguilles, aussi rouges que le vernis de ses ongles.

La règle du jeu voulait maintenant qu'elle se caresse. Il comptait les spasmes. Quand elle en fut à sept, soit la moyenne à laquelle elle arrivait presque toujours, utilisant aussi bien ses doigts que les objets qui pouvaient lui tomber sous la main, elle cria d'extase et se jeta sur lui avec fougue pour l'avaler et lui extirper jusqu'à la dernière goutte de suc. C'était le seul plaisir charnel du Pape. Il ne faisait jamais l'amour, craignant comme la peste les maladies vénériennes. Il n'embrassait jamais une femme. Il ne jouissait que dans leur bouche.

Ils tombaient de fatigue. Mimi arrêta la musique, éteignit les lumières et ils s'assoupirent une heure côte à côte,

sans échanger la moindre marque de tendresse, cherchant
confusément une issue à leur sentiment de solitude, envisa-
geant même dans leur détresse de supprimer l'autre.

Il craignait qu'elle ne parle et ne le trahisse. Elle craignait qu'il ne la tue, parce qu'elle en savait trop.

Après la sieste, elle manifesta le désir de l'accompagner à Montréal.

Il l'en dissuada sous toutes sortes de prétextes. Il partit
comme il était venu, affrontant à nouveau le verglas.

Mimi descendit, affamée et frustrée. Elle alla réveiller
Nicole.

— J'avais tout p'épa'é, madame Mimi. J'avais mis le
couve't. Le 'epas était p'êt mais vous n'êtes pas des-
cendue. Monsieu' Veillette, il est pa'ti? Il n'a pas voulu
manger? Vous avez faim, madame Mimi? Venez. Je vais
m'occuper de vous.

Et Mimi apaisa momentanément sa faim en se jetant
dans le lit de Nicole.

4

La cure

LE LENDEMAIN MIDI, du local des Hell's, le Pape télé-phona à Calvino Piacenti et à Bob Marion pour les aviser qu'il leur livrait leur cadeau.

Piacenti, qui était très méfiant depuis les assassinats de Carl O'Burn et de ses associés, posa quelques questions. Comme toujours, le Pape jouait au plus malin :

— Je soupçonne le gang de l'est; ils en ont toujours eu contre vous. J'ai lu les journaux, moi aussi. Je paierais cher pour connaître les dessous de l'affaire.

— Il y en a qui pensent que c'est nous qui avons monté le coup. C'est faux et je sais aussi que ce n'est pas la mafia.

— Je te le répète, insista le Pape, c'est probablement le gang de l'est. De toute façon, ils sont morts, nous sommes vivants, autant en profiter. Dis, alors, à quelle heure tu la veux la belle voiture ?

— Cinq heures. Chez moi.

— Tu pourras l'étrenner sur-le-champ. Tous les papiers sont à ton nom. C'est réglé.

— Elle est belle ?

— À crever !

Bob Marion n'était pas moins retors que Piacenti, mais si dissimulé qu'il ne fit aucune allusion aux meurtres.

Il prit rendez-vous lui aussi, par pure coïncidence, à cinq heures au parking du bar.

— Je serai là, comme un seul homme.

— As-tu hâte ? demanda le Pape.

— J'ai passé l'âge de m'énerver pour un cadeau.

Tout se déroula selon le plan conçu par le Pape. Suivi de Rambo et de la camionnette, il livra la Cadillac noire à Piacenti à l'heure convenue, tandis que Laurent « la Gueule » Dupont suivi d'Albert « Bert » Bertrand laissaient la Toyota à Bob Marion.

Poignées de main, trousseaux de clefs, bavardages de circonstance et tapes dans le dos une fois échangés, les nouveaux propriétaires ne purent résister à la tentation d'un essai.

— Tu viens avec nous ?

— Ce n'est pas nécessaire. Je viens de la conduire. Une merveille, mon vieux. J'ai un tas de choses à faire et Rambo attend pour me ramener.

— Merci beaucoup, s'exclama le truand, c'est un beau cadeau. Je ne l'oublierai pas.

— C'est une bagatelle, répliqua le Pape. Tu n'as encore rien vu. Quand nous aurons retrouvé les oranges manquantes, tu toucheras ta part.

Piacenti fit quelques signes de la main, mit le moteur en marche et, avec l'assurance des gens riches, engagea la voiture sur la route, sans but précis, pour en savourer le luxe et la sécurité.

Même scénario au parking du bar Le Rigolo où la Gueule avait remis les clés de la Toyota à Marion tandis que Bert attendait dans une autre voiture.

Chaque voiture fut suivie, puis Rambo et la Gueule télécommandèrent les détonateurs dissimulés sous les sièges des conducteurs. À quelques minutes d'intervalle, les deux voitures et leur nouveau propriétaire volèrent en mille miettes. À Laval et Rosemont, les derniers héritiers de Carl O'Burn venaient de tomber en enfer, ou de monter au ciel, puisqu'il paraît que la clémence de Dieu peut être incommensurable.

Alors qu'ils regagnaient leur repaire du chapitre de Laval, les quatre hommes étaient déjà aux anges. Le Pape se frottait les mains, Rambo riait de sa réussite, tandis que leurs deux comparses, aussi détachés que s'ils venaient d'allumer une cigarette, blaguaient négligemment.

Les attentats laissaient le gang de l'ouest sans chef ni lieutenant. Qui allait prendre la relève ? Là, peut-être, surgirait une piste pour la police. Il n'y avait plus, selon l'inspecteur-chef Bastien, qu'à attendre.

Plusieurs détectives devinrent des habitués des nombreuses boîtes de nuit toujours actives. Mais comment se faisait-il que ces entreprises continuaient à fonctionner comme si rien ne s'était passé ? Qui dirigeait les effeuilleuses ? Si la police s'était donné la peine de fouiller en profondeur, elle aurait découvert que Carl O'Burn n'était pas l'homme-clé, qu'il n'était qu'une marionnette entre les mains de personnes cent fois plus puissantes et plus riches que lui, plus crapuleuses aussi, et qui, depuis New York, dirigeaient sous le couvert de multinationales d'immenses réseaux : trafics divers, drogue, cigarettes, alcool, prostitution, syndicats, chantage, sans parler des meurtres sur commande. Un État dans l'État, disposant de milliards de dollars placés à la Bourse, efficacement gérés par de brillants juristes, des experts-comptables et une kyrielle de cerveaux auxquels se soumettaient, autant qu'il en fallait et selon les besoins, des fiers-à-bras dévoués jusqu'à la mort. Plus que jamais, l'Amérique était aux mains des truands.

La Gueule, Bert, Rambo et le Pape fêtaient joyeusement, verre en main, leur bon coup. On n'en finissait plus de congratuler Rambo qui en redemandait :

— Hein ! Répète, maudit sacrement de Bert ! Répète ce que tu viens de dire !

— T'es bon en hostie. Un vrai génie de la mécanique ! Je te lève mon chapeau.

— T'en as même pas un sur la tête, ricana Rambo.

— Il est invisible, riposta Bert.

— Comme ton cerveau, sans doute ?

Bert se défendit, confus et blessé :

— Ce n'est tout de même pas de ma faute ! On ne peut pas tous avoir une grosse tête comme la tienne.

Et Rambo se la cogna sur le mur, riant et répétant :

— J'ai la tête plus dure que la coquille de l'œuf de Christophe Colomb.

Ils s'amusèrent ainsi, s'insultant, puis ils se droguèrent. Enfin, la conversation arriva sur leur sujet préféré : le sexe. La Gueule était en verve.

— Tu connais l'histoire de la salope qui s'est mis un doigt là où tu penses ? Il y est resté, il a instantanément pourri.

Surexcités, ils décidèrent de passer à l'acte, mais le Pape, se sentant soudain très mal, annonça qu'il rentrait chez lui. Il avait des crampes au ventre, saignait du nez, et comme tout signe de maladie l'irritait, il préféra renoncer à participer à l'orgie, fût-ce en voyeur.

Il rentra avec peine, se trompant de route plusieurs fois. Chez lui, histoire de guérir le mal par le mal, il renifla une ligne de poudre et se servit une généreuse rasade de vodka sans eau, contrairement à sa recette habituelle.

Il aurait mieux valu qu'il s'abstienne. L'alcool et la coca ne produisirent pas les effets attendus. Au contraire, les spasmes le reprirent. Son imagination fit le reste. Il se crut atteint de diabète, puis miné par un ulcère d'estomac avant de diagnostiquer finalement le cancer, peut-être même le sida.

La mort? Oui! En face! La maladie? Non! Jamais!
Ne jamais s'avilir au point de chier dans une bassine ou
d'offrir sa décadence physique à la vue de qui que ce soit.
Le suicide valait mieux. Oh oui! Mais en douceur.

Il téléphona à Mimi. Elle était là. Il neigeait et elle
n'avait pas osé sortir. Il lui raconta ses malheurs, se plai-
gnit, exagéra. À l'entendre, il allait mourir.

Mimi, qui ne mâchait pas ses mots et qui abhorrait les
hommes malades, ces plaignards, ces chialeux, ces douil-
lets, lui conseilla ceci:

— Écoute, tu vas peut-être le prendre mal, mais je te
jure que je crois que tu es bon pour une cure. Tu fumes
comme un tuyau d'échappement en hiver, tu bois comme
un trou et tu te drogues plus que tous tes *pushers* réunis. Je
sais ce que je dis. Je sais de quoi je parle. Moi aussi j'ai
connu ça. Je sais quand m'arrêter et faire mes cures toute
seule, mais toi…

Le Pape balbutia quelques jurons. Mimi revint à la
charge et trancha:

— Paul Veillette, es-tu toujours là? M'entends-tu, le
Pape? C'est une question de vie ou de mort. Tu dois abso-
lument faire une cure. Tu m'entends? Une cure. Tu en as
grand besoin. Dis oui. Tu me remercieras plus tard. Fais ce
que je te dis.

— Je vais y penser cette nuit, répondit le Pape, qui
n'en était pas à sa première cure. Je vais y penser.

Et soudain, pour la première fois de sa vie, Mimi
laissa échapper un «je t'aime» qui l'étonna elle-même.

«Comment ai-je pu lui dire ça, se demanda-t-elle en
déposant le récepteur. Comment?»

Elle passa en revue tout ce qu'elle avait vécu avec lui.
Oui, il était infect, méprisable, mais à ses yeux, il restait un
ange. Malgré ses défauts, ses vices, son côté malsain, son
orgueil, ses délires; malgré tout, il était encore un ange

parce qu'il ne l'avait pas liquidée bien qu'elle ait été témoin du meurtre de Crash, parce qu'il s'était occupé d'elle, avait accepté la nurse et les enfants, la gâtait, la sécurisait. Alors, comment pourrait-elle cracher sur la main qui la nourrissait, la protégeait, lui donnait tout ce qu'elle voulait en échange d'un *show* cochon et d'un pompier? OK., il n'aime pas les enfants et même il les ignore. Mais il est correct. Si j'insistais, il accepterait que je remonte sur la scène des Nuits Blanches. Je ne l'aime pas d'amour comme on dit, mais je l'aime quand même. Elle se mit à pleurer, se drogua et, cédant à ses fantasmes habituels, après s'être costumée — bottes noires à talons hauts, bas résille, porte-jarretelles en cuir, cache-sexe en peau de crocodile, large ceinture sertie de brillants, collier de cuir clouté, bracelets étincelants couvrant les avant-bras, les reflets des strass scintillant au moindre mouvement — elle dansa pour elle-même, devant ses miroirs, jusqu'à ce que, se regardant dans la glace, elle ne vit que cette autre elle-même dont elle était éprise, si bien qu'il n'y eut plus aucun obstacle à ses narcissiques dépravations, devant une salle comble de voyeurs imaginaires. Exhibitionniste, la Mimi, mais sans public. Celui des Nuits Blanches lui manquait.

Elle changea de costume, se para d'accessoires blancs dans le même style, ajouta une perruque blonde, inhala un peu de neige, se versa du champagne, et se remit à danser sur les rythmes de Michael Jackson, songeant à inviter Nicole. La Noire vint sans se faire prier, esseulée qu'elle était. Elle mit avec empressement tous les accessoires folichons que Mimi lui présentait et, couverte de cuir et de chaînes, fouet à la main, elle entra dans la danse. Le duel dominée-dominante qui s'ensuivit aurait pu faire virer au rouge sang le tain des miroirs fumés.

Le lendemain, le Pape se réveilla encore abruti par les somnifères. Il ne se sentait pas mieux que la veille. Mimi avait sans doute raison : il était mûr pour une cure de désintoxication, mais il ne parvenait pas à se décider. Tandis qu'il hésitait, le téléphone sonna.

C'était la voix de God. Il avait pris une décision. Quelque chose ne tournait pas rond. Tous les hommes d'O'Burn avaient été descendus. Le chapitre de Halifax réclamait toujours la caisse d'oranges qui manquait. Il convoquait tous les membres de Laval à participer à une réunion des chapitres de Halifax, Sorel et Lennoxville.

— Pourquoi ? demanda le Pape.

— Pour régler le cas des Outlaws. Jeudi prochain. Organisez-vous pour y être tous. Jeudi, à Lennoxville.

— N'insiste pas. Je ne suis pas bouché. J'ai compris. Nous y serons comme un seul homme.

— Tu n'as pas le choix.

— Je l'ai pas demandé, hostie !

— Sans armes, précisa God. Personne ne doit être armé. C'est un ordre.

— J'ai compris. C'est tout ?

— C'est tout. Jeudi vers cinq heures.

— Entre chien et loup.

— Qu'est-ce que tu veux dire ? demanda God qui ignorait l'expression.

— Ça veut dire au coucher du soleil. Je me demande comment tu as pu devenir chef avec un Q.I. pareil.

— Q.I. ?

— Oui, la matière grise. Ce que tu as dans la caboche.

— C'est une insulte ?

Le Pape se mit à rire et, méprisant, répondit à God :

— Je suis au-dessus des insultes. Je suis au-dessus de tout.

— Je m'en sacre, si tu veux savoir. C'est moi qui commande. Alors, soyez tous là jeudi.

— Mais oui, mais oui. Nous y serons, je te l'ai déjà dit.

Il raccrocha, récita une litanie de sacres, repensa à ce qu'il venait d'entendre, essayant de deviner la vraie raison de cette réunion générale, et récapitula en détail les événements des dernières semaines. Il conclut que, peut-être, un des trois oiseaux, Bert, Moto ou Small, avait tout raconté aux membres du club de Sorel qu'ils avaient rejoint. Quelqu'un l'avait trahi. Il alla se verser une vodka sur glace, engueula ses chats, et réveilla Mimi qui cuvait le champagne bu la veille. Il ferait une cure si elle s'occupait des détails.

Elle n'en revint pas. Subitement réveillée, elle lui demanda de répéter. Il confirma :

— Je suis décidé. J'ai mes raisons. Mais avant d'aller à la clinique, je te jure que je vais prendre une cuite mémorable. Advienne que pourra. Quand tous les boyaux de ma plomberie seront pleins à crever, je monterai au plus christ des paradis artificiels de ma vie.

— Ne fais pas le con. Ne dis pas de bêtises. Attends-moi. J'arrive. Je vais tout organiser. Mieux encore : si tu fais une cure, j'arrête de boire, j'arrête tout, moi aussi. Tout.

— Même la danse ? demanda-t-il cyniquement.

— Tout ce que tu voudras, mais pas ça !

— Même quand tu seras grosse, flasque, couverte de varices, complètement édentée et chauve ?

— Ce que tu peux être méchant. Je ne serai jamais grosse, flasque, couverte de varices, édentée et chauve. J'ai assez d'amour-propre pour me flinguer avant.

— Facile à dire. On est toujours occupé par la métamorphose des autres. Tu te compareras en te disant que tu vieillis mieux qu'eux. Même les miroirs te donneront raison puisqu'ils ne réfléchiront que ce que tu voudras bien y voir.

— Ce que tu peux être méchant, répéta-t-elle.

Il ricana. Mimi s'empressait.

— Je descends à Montréal.

— Pas la peine. Tu as autre chose à faire. Inscris-moi à la clinique. J'y serai mercredi après-midi.

— On ne se verra pas avant?

— Après, dit-il. Tiens-moi au courant. Si je ne suis pas ici, je serai au local de Laval. J'ai beaucoup de choses à y régler.

En effet, il devait tenir séance et transmettre les ordres de God. Cependant, il ne prévint personne qu'il ferait défection. Il recommanda à tous de s'armer, contrevenant aux ordres.

Il s'était costumé pour la circonstance et trônait dans sa grosse chaise, coiffé de sa tiare, hautain, sûr de lui, n'éprouvant aucun sentiment envers les motards qui l'entouraient.

Aussitôt terminée, la cérémonie tourna en beuverie générale où la drogue circula. Il y eut des dizaines de suppositions quant au mobile de l'assemblée. Ils se savaient tous en faute à cause des oranges, mais pas un n'en parla. God, en définitive, devait savoir ce qu'il faisait et pourquoi il le faisait.

Le lendemain, mercredi, au cours de l'après-midi, le Pape se rendit à la clinique avec deux valises; l'une contenait ses effets personnels, l'autre plusieurs livres de poésie et des romans policiers. Mimi avait tout organisé. Il resterait quinze jours, pas plus. Et fuck la réunion. Que les autres chapitres s'entendent entre eux.

Ils s'entendirent. Cependant, Shaft refusa de se rendre à Lennoxville, au repaire des Hell's, en banlieue de Sherbrooke. Il resta au lit. Pif vint le chercher, mais

Suzanne Hutchison, Blondie de son nom de danseuse, lui dit que Shaft dormait. En réalité, il faisait semblant.

— Qui était-ce ? demanda-t-il à sa compagne.

— C'était Pif. Il voulait t'emmener avec lui à Lennoxville.

— Qu'il y aille tout seul, s'il est assez naïf. Il devrait mettre des lunettes, le cave, pour ne pas être reconnu.

— Il y a un problème ?

— Veux-tu bien me laisser dormir ?

Bert vint sonner à son tour à la porte de Shaft et insista tellement que Blondie le conduisit à la chambre. Une conversation tapageuse s'ensuivit. Finalement, Shaft changea d'idée et accepta d'accompagner Bert.

— Est-ce que je dois apporter mon morceau ?

— Es-tu fou ! Tout va s'arranger entre nous.

— Si vous allez à Sherbrooke, proposa Blondie, pourquoi ne m'emmenez-vous pas ? J'irai chez une amie. Il y a des mois que je ne l'ai pas vue. Elle sera contente.

— Qui ?

— Hélène Turcotte. L'amie de « Cigare ».

— Cigare ?

— Jean Miron !

— Je le connais celui-là. Je ne l'aime pas du tout.

— Elle, c'est pas pareil.

— C'est du pareil au même. Allez, viens, si tu veux.

Ils partirent tous les trois.

Pas moins de vingt chambres avaient été retenues dans deux motels de Lennoxville : à La Marquise, un complexe immobilier qui comptait une quarantaine d'unités, à quelque cinq cents mètres du local des Hell's, et au Lennoxville, en plein centre-ville de Sherbrooke.

La réunion générale fut remise au lendemain parce que le Pape n'était pas au rendez-vous et que personne ne savait où le joindre. Cette nuit-là, le repaire de Lennoxville resta presque désert. Ne s'y trouvaient que Luc « L'Œil » Moreau et Sylvio « Boom » Latraverse, qui y vivaient en permanence.

C'était une grande maison entre deux styles, victorien et québécois mâtiné de normand et de breton. Cette belle maison blanche voisinait trois monastères : celui des sœurs missionnaires de Notre-Dame-des-Anges, celui des pères franciscains, et le couvent des sœurs clarisses. La façade du monastère des franciscains est barrée d'un énorme panneau conviant les fidèles au Buisson Ardent où, pour une obole symbolique, les croyants et les âmes en peine peuvent se recueillir quelques jours ou encore y faire une retraite, quoique le calme et le silence n'y soient pas vraiment assurés. En fait, les anges du ciel et de l'enfer ont pignon sur la même rue, à Lennoxville.

L'intérieur de la grande maison blanche, comme celui de tous les repaires des Hell's, contient exactement le même mobilier et les mêmes accessoires que toutes les maisons : grille-pain, aspirateur, tables, chaises, divans, lits, et quoi encore ? La différence tient à la présence des armes, aux fusils accrochés aux murs, aux vestes de cuir suspendues à leur crochet, au désordre surtout, aux drogues qui traînent et à la poussière qui s'est amoncelée dans les coins, sous les meubles, et voyage selon les courants d'air, dans l'indifférence totale des occupants qui ont d'autres chats à fouetter. Leur forteresse est munie de systèmes de détection et de surveillance sophistiqués, des plaques d'acier blindent les fenêtres et on s'y aventure à ses risques et périls, comme en ce jour à la grâce de God.

Quelle belle réunion ! Une majorité des membres du Gotha, c'est-à-dire ayant leurs couleurs et leurs ailes, en plus de quelques aspirants.

De sa clinique de désintoxication, le Pape téléphona à Mimi.

— Écoute, Mimi, j'ai fait un rêve prémonitoire la nuit dernière. Ce serait trop long à te raconter, mais j'ai une vilaine intuition. Va au loft et fais-y ce que je vais te dire.

— J'écoute, répondit Mimi.

— Tu as les clés ?

— Mais oui, je les ai.

— Alors, tu vas aller près du lit et juste à la tête, du côté où je me couche, tu vas soulever le matelas, un peu, et tu vas trouver, en cherchant doucement du bout des doigts, un fil de nylon transparent. Soulève le tapis retenu par du velcro. Enroule le fil sur ton doigt et tire d'un coup sec. Un tiroir va s'ouvrir. Comprends-tu ?

— J'ai compris.

— Répète.

— Ce n'est pas la peine. J'ai tout compris.

— O.K. Vide le contenu du tiroir et mets le tout dans un grand sac en plastique.

— Qu'est-ce qu'il y a dans ce tiroir ?

— Pose pas de questions idiotes ! Tu verras bien.

— C'est tout ?

— Non, tu vas aller vers le miroir à l'entrée, au-dessus de la guérite. Tu presseras délicatement dans le coin gauche.

— Pourquoi ?

— Tu verras. Fais ce que je te dis. As-tu un crayon ?

— Oui.

— Prends note. Derrière le miroir, il y a un coffre-fort. Tu tournes le bouton à droite, trois fois, et tu neutralises à zéro. Ensuite, tu tournes à gauche et tu t'arrêtes au 9, tu recules à 4, tu avances au 6 et tu te remets à zéro. La porte s'ouvrira. Répète, cette fois, que je sois sûr.

Mimi répéta.

— C'est parfait. Vide le coffre. Mets le fric dans une de mes valises. Elles sont dans la remise.

— Je sais. Ensuite ?

— Tu remontes à Morin-Heights et tu caches le tout là où tu sais. Sois prudente.

— Ça va, toi, à la clinique ?

— C'est dur en hostie ! Mais ça va aller mieux dans quelques jours.

— Tu m'appelles s'il arrive quelque chose ?

— Entendu. Salut.

— À bientôt, répondit-elle, fais attention à toi. Est-ce que... ?

Il avait déjà coupé la communication et elle resta là, les lèvres en cœur sur son « que ». Elle raccrocha le récepteur, monta dans sa chambre, s'empressa de se vêtir pour exécuter les ordres reçus.

Tout se passa comme prévu.

Elle revint à Morin-Heights dans sa Honda Prélude blanche, avec un sac en plastique rempli d'armes, de munitions, de coca, de haschisch, de marijuana et de quelques capsules d'héroïne, ainsi que d'une valise remplie à craquer de billets de banque. Sur la banquette arrière, une deuxième valise contenait quelques milliers de dollars, un colt 45, un M-36, un fusil mitrailleur démonté, quatre grenades, d'autres munitions et deux kilos de coca pure.

Tandis que Mimi filait sur l'autoroute des Laurentides, deux camions loués chez Tilden Rent A Car stationnaient devant le local du chapitre des Hell's de Laval. Michel « Moto » Lacombe et François « French » Frenette les avaient loués sur les ordres de Jean « Cigare » Miron. Les accompagnaient Frédérick « Pharaon » Pharand,

Réal « Kojak » Poulin et Lucien « la Frappe » Mercure. Ils envahirent le local, c'est-à-dire la maison et le garage, vidèrent les lieux de tout ce qu'ils contenaient. Tandis qu'ils s'affairaient à perdre haleine à cette tâche, ardue pour des gens comme eux qui n'avaient pas l'habitude de travailler, Gérard « Puce » Simpson arriva au volant d'une Mercedes grise. Avec l'aide de la Frappe, ils vidèrent le coffre-fort dont Moto connaissait la combinaison. Le tout prit le chemin de la voiture et Puce repartit aussitôt, laissant à ses comparses le soin de terminer le déménagement.

Dans la foulée, les gros camions visitèrent les résidences de Swill, de la Gueule, de Moustache, de Rambo, de Pif et celle de Shaft. Toutes étaient littéralement passées au peigne fin et les rapaces s'emparèrent de tous les objets, vêtements, souvenirs, bijoux, collections d'armes appartenant aux membres du chapitre de Laval. Il n'y eut aucune résistance à leur assaut, on le devine, les compagnes de ces messieurs étant absentes, occupées à danser dans les clubs, à l'exception de la femme de Shaft qui s'interposa, le canon de sa carabine braqué sur French et Moto qui ne se firent pas prier pour prendre la poudre d'escampette. Elle avait du cran, la Blondie. Elle en avait vu d'autres, mais elle ne s'était jamais douté des véritables activités de son jules. Il était secret comme une carpe et il ne lui disait jamais la vérité.

N'eut-elle été femme que Blondie aurait depuis belle lurette acquis ses couleurs et ses ailes et mené par le bout du nez ce gang « d'enfants de chiennes », comme elle se plaisait à qualifier « ces sacrements de poules mouillées costumées » qui semaient la terreur sur leur passage, mais prenaient la fuite dès qu'ils se sentaient le moins du monde menacés.

plication mais, chaque fois, la voix de la standardiste
?était : « Il n'y a pas d'abonné au numéro que vous avez
mposé. »

Dans l'état d'esprit où les trois filles se trouvaient et
vant l'aménité des détectives qui se faisaient suaves et
ernalistes, elles racontèrent ce qu'elles savaient, c'est-
ire bien peu de choses. Betty parla plus que les deux
res. Elle révéla aux détectives ce que Blondie lui avait
onté : que Shaft s'était fait prier pour aller à la réunion
que Bert l'avait finalement convaincu de le suivre. Elle-
me les avait accompagnés jusqu'à Sherbrooke où elle
it allée rendre visite à Hélène Turcotte, l'amie de
gare.

Les deux autres détectives, Vincenzo Benedetti et
rnard Turcotte, n'eurent pas la même chance. Après
oir vainement sonné à la porte de la maison Meunier, ils
firent le tour et trouvèrent la porte de derrière enfoncée.
dégainèrent leur revolver et entrèrent, l'un couvrant
tre.

— Il y a quelqu'un ? demanda Benedetti de sa voix
e.

Il n'y eut pas de réponse. Précautionneusement, ils
illèrent chaque pièce pour constater qu'ils avaient été
cédés par d'autres visiteurs non mandatés qui ne
aient pas gênés. Tout avait été ratissé. Plus aucune trace
Blondie ou de Shaft. Retournant dans la cuisine, le
ective Benedetti remarqua bien en vue sur le plancher
gant de cuir clouté. Il sortit un petit sac en plastique de
oche de son manteau et y introduisit le gant à l'aide
ne pince à épiler.

Pour faire leur rapport, les deux détectives durent
eler l'inspecteur-chef Clément Bastien au Bistrot Saint-
is. Le barman annonça malicieusement :

Suzanne « Blondie » Hutchison s'était liée à Shaft ou,
plutôt, l'avait dévoué à sa jolie personne, à sa force de
caractère, à ses humeurs, à l'étau de ses jambes.

— Une queue semblable ne court pas les rues, disait-
elle, on ne crache pas dessus, bien au contraire, on s'en fait
une esclave.

Oui, beaucoup disaient qu'elle le tenait par les couilles,
mieux que Linda Lovelace n'aurait jamais pu y parvenir.

Sur ces entrefaites, deux agents de police de la communauté urbaine de Montréal, que le hasard avait amenés à
patrouiller dans le secteur, aperçurent deux hommes qui
sortaient d'une maison et montaient précipitamment dans
un camion. Ils remarquèrent également une très jolie
femme qui claquait la porte de la baraque en vociférant.

Intrigués, ils descendirent de leur voiture surchauffée
et, sans porter plus d'attention aux fuyards, décidèrent,
suivant leur instinct, d'aller sonner à la porte de la jolie
demoiselle.

Il faisait un froid de canard ; le thermomètre, ce jour-
là, marquait vingt-trois sous zéro et le vent chargé d'humi-
dité traversait les vêtements et les os. Ils n'eurent heureusement pas à attendre longtemps qu'on leur ouvre la porte.

Quelle ne fut pas leur surprise de voir apparaître une
grande et solide femme en jean, juchée sur les talons hauts
de ses souliers dorés, une chemise mauve nouée sur la
poitrine comme en plein cœur de l'été, carabine en main,
qui leur demanda sur un ton hautain et effronté :

— Qu'est-ce que vous voulez ?

Obéissant à leurs réflexes conditionnés, les deux policiers dégainèrent leur revolver avec la rapidité de l'éclair.

— Bas les armes, hurla l'agent Dubois en se précipi-
tant dans la maison, bousculant la jeune femme armée et
claquant la porte derrière eux.

Avec calme, Blondie, abaissant pacifiquement son arme, répliqua :

— Wow, doucement les moteurs, il n'y a pas de quoi s'énerver.

— Mais qu'est-ce que vous faites avec cette arme ? Ce n'est pas une façon de répondre à la porte ! s'exclama l'agent Dumais.

— J'ai eu de la visite indésirable, répondit-elle. Je suis chez moi, j'ai le droit de me défendre.

— Qu'entendez-vous, demanda l'agent Dumais, par visite indésirable ?

— Ben, hésita Blondie, il y a qu'on voulait que je remette tout ce qui appartient à Jacques, mon mari.

— Qui ça « on » ?

— Je ne peux pas le dire, deux gars que je ne connais pas.

— Et votre mari ? Où est-il ?

— Je ne sais pas.

— Il doit bien être quelque part ? insista le policier.

— En principe, il est à Lennoxville, depuis mercredi dernier.

— Il vous a téléphoné depuis ?

— Non.

— Et vous n'êtes pas inquiète ?

— J'ai l'habitude, il rentre parfois tard la nuit, à moins d'être en voyage, mais trois nuits sans donner de nouvelles, jamais ! Je ne tolère pas ça !

— Et, demanda Dumais, vous n'avez pas peur que les voyous reviennent ?

— Je les ai mis dehors une fois, ces maudits machos, je suis capable de les recevoir une autre fois. De toute façon, ils ne reviendront pas. Ce sont des poules mouillées.

— Si vous avez besoin d'aide, dit l'agen[t] nous sommes là. En attendant, vous feriez [ ] remettre votre arme là où elle était.

— Vous voulez voir mon permis de chasse [?]

— Nous pourrions vous arrêter mais, cet[ ] disons que nous allons fermer les yeux.

En vérité, ni l'un ni l'autre ne fermaient les [ ] les avaient au contraire constamment fixés su[r] frondeurs de Blondie, refoulant les idées libidi[ ] leur trottaient dans la tête. Dubois lui offrit e[ ] protection en se léchant les babines.

Sur un salut sec et un « je n'ai besoin de [ ] merci », elle leur ferma la porte au nez et reto[ ] affaires, tandis que les agents regagnaient leur [ ] faire rapport à leur supérieur qui en fit autant [ ] et ce, jusqu'à l'inspecteur-chef Clément Bastie[ ]

Celui-ci réunit quelques détectives et la [ ] prise, mandat émis, d'aller interroger à nouve[ ] taine Mme Meunier, née Suzanne Hutchison, [ ] amie de ce Rambo, Marie-Hélène Ducas, su[r] Croupe.

Les détectives James et Gérôme de la [ ] Québec se présentèrent chez cette Marie-Hélèn[ ] ne travaillait pas ce soir-là, pas plus que les de[ ] les détectives trouvèrent en sa compagnie, Cél[ ] Beauchamp et Hélène « Tina » Normandin, [ ] étant la maîtresse officielle de Suie, la seco[ ] Moustache. Elles s'étaient réunies, inquiètes [ ] incompréhensible de leurs hommes, et é[ ] toutes sortes d'hypothèses.

Elles avaient à tour de rôle tenté de savoi[r] nant à Lennoxville, si quelqu'un pouvait leu[r]

— C'est la voix d'une femme, prof. Et quelle voix !

Benedetti rendit compte. Le combiné raccroché, Bastien commanda un nouveau cognac.

Et Jean-Victor le servit sans mesurer la dose et sans poser de question. Fin renard, il avait compris depuis longtemps que le prof n'en était pas un. Pour des raisons obscures et non avouées, l'inspecteur aimait ce bar fréquenté par des peintres, des écrivains, des vedettes, des comédiens et la faune de leurs admirateurs. Peut-être rêvait-il d'être un artiste ?

Il vida son verre lentement, imaginant la porte enfoncée de la cuisine de la maison de Jacques Meunier.

Meunier… ce nom me rappelle quelque chose. Légèrement ivre, il tira sa révérence après avoir réglé l'addition, serré la main de Jean-Victor et salué quelques familiers.

Il était songeur : mais où était le corps de la victime ? Pas de corps, pas de preuve.

Je gagne ou je défroque de la police, décida-t-il, en s'y prenant à plusieurs reprises pour faire démarrer sa voiture paralysée par le grand froid.

Finalement, le moteur toussa. Il regagna le quartier général pour y prendre les dernières nouvelles et consulter un dossier. Il s'assit à son bureau et, soudain pris de fatigue, s'endormit couché sur son pupitre, la tête entourée de ses longs bras.

Dès le lendemain, il convoqua ses détectives. Dorénavant, il ne faudrait plus lâcher d'une semelle les compagnes des Hell's.

— Quand ils les ont conquises, elles deviennent leurs informateurs. Nous savons qu'il y en a quelques-unes qui travaillent dans les services gouvernementaux où elles ont, entre autres, accès aux fichiers des certificats de naissance, des permis de conduire et à toutes les sortes de documents

qui sont, vous le devinerez, très utiles aux motards qui
cherchent une nouvelle identité.

— Je suppose qu'il y en a aussi parmi nous ? demanda
Herman.

— Qui sait ? Il y en a peut-être une ici, une au palais
de justice, engagée comme standardiste ou encore à l'aide
sociale. Il y en a sans doute dans l'enceinte même des
pénitenciers. Qu'à cela ne tienne. Je veux mordicus que
toutes celles qui sont, même simplement, soupçonnées
d'avoir des relations avec les motards soient tenues à l'œil.
Allez.

Il se leva avec l'apparente dignité d'un juge, et se
dirigea directement vers son bureau. Il lui fallait obtenir la
collaboration des policiers de l'escouade technique d'intervention, le SWAT, dont les exploits aussi spectaculaires
qu'efficaces pourraient s'avérer nécessaires.

Dix-sept jours après être entré en clinique, Paul
Veillette, dit le Pape, en sortait ayant acquitté sa note.
Calmement installé au volant, il hésita. S'il s'arrêtait à
Morin-Heights, Mimi serait heureuse, elle lui était si
dévouée, et puis il pourrait enfin boire un verre, tirer quelques lignes. S'il descendait à Montréal, qu'y ferait-il ?
Prendre des nouvelles des membres du club, se toiletter
comme un gentleman. Il opta pour Montréal, repoussant au
lendemain sa visite à Mimi.

Reposé, les traits détendus, fier de lui et en pleine
santé, quelle ne fut pas sa consternation, arrivé à l'étage où
était son loft, d'en voir la porte, pourtant la mieux verrouil-
lée de la ville, complètement défoncée. À l'intérieur, tout
était sens dessus dessous. Le miroir au-dessus de la guérite
en mille miettes, les canapés éventrés à grands coups de
couteau, de même que le matelas. Tout avait été renversé,
cassé. La cuisine n'avait pas été épargnée et, comble de

malheur, dégageant déjà une odeur irrespirable, les chats
Freud et Jung gisaient inanimés dans la baignoire, la gorge
tranchée.

Il hurla, les bras levés, sa litanie de sacres habituelle, y
ajoutant des « étole », des « paterne », des « christ de taber-
nacle », des « putains de Sainte Vierge », des « Saint Joseph
masturbateur » et autres insanités. Une fois à court de
mots, il se mit à cogner sur tout ce qui se présentait, donnant des coups de pied d'une violence démentielle sur les
objets qui jonchaient le sol. Son tourne-disque tellement
aimé avait été réduit en morceaux et, pis encore, ses
disques préférés aussi. « *La Bohème*, mon Dieu, cria-t-il.
Ma *Bohème* de Puccini ! » Il s'effondra sur ce qui restait du
lit, le criblant de coups de poing comme il l'avait déjà fait
pour achever une de ses victimes. Obnubilé par la rage, il
ne remarqua même pas le sort que son bas-relief d'Adam
et Ève avait subi : il ne restait plus que la pomme et la frêle
petite main d'Ève qui la tenait.

Il resta ainsi à plat ventre quelque temps, essayant de
reprendre son souffle, de retrouver son calme.

« C'est God, sûrement, ou un de ses enfants de
chienne », pensa-t-il.

Il se sentit démuni, épuisé, se releva et se dirigea vers
le téléphone. Peine perdue, le fil n'avait pas échappé aux
vandales. Il se consola en se réjouissant de l'intuition qu'il
avait eue d'envoyer Mimi vider les lieux avant eux, sans
songer qu'elle aurait pu être prise sur le fait et subir le
même sort que ses chats.

Il céda soudain à la peur. On en voulait à sa vie. Il était
sur la liste noire. Le loft était sûrement surveillé. Il avait dû
être suivi.

Il trouva, parmi ses vêtements épars, un vieux pantalon de velours noir, enfila un chandail de laine bleue à col

roulé acheté au surplus de la Marine canadienne, chaussa des bottes fourrées et passa un coupe-vent en cuir doublé de mouton. Il retrouva dans les tiroirs des lunettes fumées, une fausse moustache. Enfin, il se coiffa d'une grosse tuque noire à la bordure blanc et rouge, et sortit par la fenêtre qui donnait sur un escalier de secours rouillé. Quelques instants plus tard, il était au restaurant du coin, bourré de gens qui s'empiffraient de *smoked meat* et de frites arrosées de ketchup.

Il téléphona d'abord à Mimi. Il lui raconta tout, l'enjoignant de venir le chercher en face du cinéma L'Élysée :

— À sept heures. Je serai là. Je t'attendrai.

Il n'eut pas de réponse quand il tenta de joindre le chapitre, non plus que la Gueule, Moustache, Rambo, Pif et Shaft.

Toujours affolé, il téléphona au club Le Rigolo et finit par obtenir la Croupe (*The Property of Rambo*).

— Où es-tu, répondit-elle aussitôt, surprise d'entendre cette voix, qui lui donnait soudain l'espoir de retrouver Rambo.

— Dans une cabine téléphonique. Dis, qu'est-ce qui se passe ?

— Tu n'es pas au courant ?

— Comment le pourrais-je ? Je sors de clinique. Je rentre chez moi pour trouver mon appartement saccagé.

— Tu n'étais donc pas à Lennoxville ?

— J'étais à la clinique, je viens de te le dire. Qu'est-ce qui s'est passé ?

— Tout ce que je sais, c'est que pas un seul membre n'est revenu. Toutes les baraques des gars ont été vidées.

Elle parla des visites des détectives, puis s'excusa car on la réclamait : son tour était venu d'aller danser.

— Il y a quelqu'un qui nous écoute. Je suis constamment surveillée. Sois prudent, Paul.

Il quitta la cabine, alla s'asseoir à une table et commanda un Coke, un *smoked meat* et des frites. Il attendit en fumant qu'on le servit, réfléchissant. La police était sur le coup, God voulait sa peau. Il était donc recherché, sans doute suivi et trop connu dans trop de milieux.

Il paya l'addition et descendit rapidement, en homme traqué, la rue Saint-Laurent jusqu'à la rue Milton. Il aperçut, stationnée en face du cinéma, la Honda Prélude de Mimi.

Personne ne savait qu'il avait une résidence secondaire dans les Laurentides où il allait se terrer le temps de dresser un plan pour découvrir l'identité de ses agresseurs avant de les éliminer tous, God compris. Il lui succéderait à la présidence des Hell's du Canada. Enfin, il s'attaquerait à la direction de tous les chapitres du monde.

— *I am the Pope!*

5

La chasse aux canards

LES FEMMES DES HELL'S avaient fourni des pistes. Des fouilles eurent lieu dans les environs de Lennoxville et de Sorel. Hangars vides, étables abandonnées, entrepôts désaffectés furent passés au peigne fin. La rivière Saint-François fut sondée. Sans succès. Nulle trace des membres du chapitre de Laval. Leurs noms allèrent rejoindre la longue liste des personnes portées disparues.

La morosité, la lassitude, la dépression commencèrent à suinter des murs de la police du quartier général. Les détectives en avaient tous ras le bol de chercher des fantômes, d'interroger de faux aveugles et de faux muets. Une sourde colère s'était emparée d'eux.

Il n'était pas rare d'entendre dans leur bouche des expressions qu'on aurait mieux imaginées dans celle des motards :

— Le premier sacrement qui me tombe sous la main va y goûter !

— T'as jamais vu Kojak sortir de ses gonds...

— Les tabernacles ! On va les crucifier !

Certains restaient calmes, invitaient les têtes chaudes à plus de patience. Comme le disait le détective Herman : « Attendez, les gars. On en prend un, on prend les autres. »

L'inspecteur-chef, lui, devait affronter ses supérieurs qui trouvaient que l'opération *Sirocco* ne méritait pas son nom.

Clément Bastien se défendit avec assurance :

— À quoi bon surveiller le ciel l'hiver à la recherche des étoiles d'été. Le temps, messieurs, le temps nous donnera raison. Je ne démissionne pas encore. L'opération *Sirocco* a, à mes yeux, le même souffle qu'au départ. Si vous voulez bien m'excuser, j'ai quelques petites manœuvres à mettre au point.

Avant de prendre congé, l'inspecteur-chef sortit de son attaché-case quelques exemplaires d'un magazine qu'il leur distribua :

— Je me suis permis d'écrire un article dans notre revue. J'espère que vous apprécierez le résultat de mes recherches sur les mœurs des groupes de motards.

Tandis que ses supérieurs se jetaient avidement sur la publication, Bastien se retira. Il avait besoin de prendre l'air. Il avait l'intention de rendre visite au pourvoyeur du lac Saint-Pierre, histoire de se détendre, de se distraire et de causer de chasse aux canards.

Le mois de mars tirait à sa fin et le soleil faisait de son mieux pour réchauffer le 46e parallèle, là où les hivers s'éternisent et où la première odeur printanière est un espoir de délivrance. Çà et là, devant les façades des maisons, les gens frileux s'enivraient des quelques rayons bienfaisants, à l'écoute des gouttes d'eau qui émettaient une musique enfiévrante.

Entre Sorel et Saint-Ignace-de-Loyola, le village qui lui fait face sur la rive opposée, le fleuve Saint-Laurent s'élargit pour former le lac Saint-Pierre. Dans les îles qui parsèment ce lac comme sur les rives qui le bordent, les habitants vivent au rythme de la nature.

Vues à vol d'oiseau, les cent îles forment un *puzzle* éclaté depuis des milliers d'années ; un autre millier d'années pourrait les rassembler et rompre ainsi le charme envoûtant du labyrinthe des chenaux : chenal du Moine, chenal du Castor, chenal du Nord, chenal des Corbeaux et le grand chenal qui se démarque de la voie maritime du Saint-Laurent, laquelle suit, tumultueuse, un tracé où naviguent les cargos qui montent vers les Grands Lacs ou descendent vers l'Atlantique.

À Saint-Ignace-de-Loyola, il y a un quai d'où part le traversier qui fait la navette entre les deux rives. Il y a une auberge, un bar de danseuses nues et un club pour amateurs de vidéocassettes. En retrait du quai, il y a l'épicerie qui fait aussi office de magasin général. Il y a des maisons, petites et serrées les unes contre les autres, des fermes laitières et des terres cultivables. Tout y est calme et paisible. Le seul endroit vraiment fréquenté est le quai où vient accoster le traversier avec ses passagers habituels.

L'inspecteur-chef, incognito parmi tous ces gens, faisait les cent pas sur la quai, contemplant le fleuve et les glaces noircies par la pollution. Il marchait, les mains dans le dos, l'esprit constamment obsédé par l'opération *Sirocco*. Il fixa un moment la ville de Sorel au loin et se dit qu'il devait bien y avoir des motards pour prendre de temps en temps le traversier. Il se retourna, regarda l'immeuble couvert d'affiches et de photos de danseuses et s'y dirigea. Il mit quelques instants avant de s'habituer à la musique tonitruante et à la lumière des projecteurs balayant la scène de leurs faisceaux rouges, jaunes, verts et bleus. Il s'approcha du comptoir recouvert de cuivre et commanda un double scotch sur glace à une toute jeune fille maigre qui lui avait demandé :

— Qu'est-ce que je vous sers ?

Il la regarda s'en aller, en équilibre sur ses minces jambes, juchée sur les talons hauts de chaussures vertes, reluqua les petites fesses et le minuscule triangle du cache-sexe, observa les chaînes qu'elle portait à la cheville, au poignet et autour du cou, et lui accorda une bonne note pour l'élégance avec laquelle elle servait à boire.

— Sept cinquante, réclama-t-elle d'une voix enrhumée.

Il paya avec un billet de dix dollars dont elle s'empara. Elle ne lui rendit pas la monnaie.

Il but, puis d'un mouvement lent fit tourner le tabouret pivotant sur lequel il était assis et regarda distraitement l'effeuilleuse en action, passant en revue les têtes des clients. Ils n'étaient pas plus d'une vingtaine, la plupart attablés près de la scène. À l'écart, il crut reconnaître, confortablement assis, les pieds sur une chaise, nul autre que le pourvoyeur Charles-Étienne Coulombe à qui il se proposait de rendre visite.

L'homme était grand et fort, blond, le nez large, des yeux verts écartés, aux arcades sourcilières tombantes. Sa bouche, droite comme un trait de crayon, s'ouvrait parfois pour dire quelques mots. Une grosse moustache blondasse et hirsute la surmontait. Les mains du bougre étaient puissantes, larges et courtes, et il serra avec plaisir celle que l'inspecteur-chef lui tendait.

— La soif vous a attiré dans cette boîte ?

— Je me suis dit que peut-être j'y trouverais des têtes connues...

— En tout cas vous avez reconnu la mienne.

— Sauf que cette tête est sans intérêt pour la police.

— Elle l'est pour les inspecteurs des impôts.

— Des problèmes ?

— Comme toujours ! Il y a des fonctionnaires qui s'imaginent que je n'ai rien d'autre à faire que de compiler

les factures des milliers de gens qui fréquentent la pourvoierie. Qu'est-ce que vous diriez d'un petit canard à
l'orange ? Je vous invite.

— Ça ne se refuse pas, décréta l'inspecteur en vidant
son verre à son tour.

Les deux voitures s'engagèrent dans le rang Saint-
Michel à vive allure. Ils longèrent un vieux quai. Les cha-
loupes et les barques qui reposaient sur les berges attendaient que le beau temps revienne pour repartir à l'eau,
fraîchement repeintes et asticotées.

Dès qu'ils furent rendus dans sa maison toute simple,
le pourvoyeur plaça dans la cheminée une grosse bûche,
puis attendit debout, silencieusement, que les flammes
s'animent.

— Faites comme chez vous, inspecteur. Mettez-vous à
l'aise. J'en ai pour quelques minutes.

Charles-Étienne alla ranger ses achats dans le garde-
manger et le réfrigérateur, puis retira du congélateur les
canards à l'orange déjà préparés qu'il confia au four à
micro-ondes.

L'inspecteur s'assit à la grande table, sortit de la
poche de son veston un flacon d'argent, en dévissa le bou-
chon finement ciselé et s'envoya derrière la cravate une
copieuse rasade de brandy.

— Et qu'est-ce qu'ils veulent, les inspecteurs des
impôts ? s'enquit-il.

— De l'argent, je suppose, ironisa Charles-Étienne,
déployant une nappe à carreaux bleus et blancs et y mettant le couvert sans cérémonie.

— Les chasseurs viennent souvent par vingt ou trente,
j'ai des frais que le trésor provincial refuse de reconnaître.

L'inspecteur étira le bras pour s'emparer de son bar
portable qu'il déposa sur la table.

— J'ai toujours ça dans la voiture. Ça permet d'agrémenter les imprévus, comme ce soir...

Il se sentait bien. Il dénoua sa cravate.

— Bourgogne? Bordeaux? demanda-t-il à Charles-Étienne qui ne sut choisir.

— Avec le canard, trancha Bastien, je crois que ce petit Saint-Émilion, grand cru 82, conviendra à merveille.

Il déplia sa soixantaine maigre aux rares cheveux blancs, l'air satisfait. Ses narines palpitaient, striées de petits vaisseaux sanguins éclatés révélateurs des abus d'alcool. Son visage n'avait rien d'un policier. Bastien avait plutôt l'allure d'un professeur d'université, ce qu'il aurait pu être s'il avait poursuivi dans la voie où l'avaient entraîné les vingt années passées au sein de la Compagnie de Jésus. Il disait à qui voulait l'entendre: «Vingt ans à tremper dans le bleu jésuitique, ça vous colore un homme pour le restant de sa vie. Il m'arrive même de marcher comme si je portais encore la soutane.»

Bastien goûta le vin en fin connaisseur, prenant le temps d'en admirer la robe, d'en humer le parfum.

— Succulent, conclua-t-il en se rasseyant, attendant que le pourvoyeur apporte le canard et les pâtes au beurre relevées d'ail grillé. Dites-moi, Charles-Étienne, est-ce qu'il y a beaucoup de motards qui fréquentent les îles?

— Il y en a l'été, qui viennent pique-niquer avec leurs amies. D'autres viennent chasser à l'automne.

— Des Hell's?

— Je ne saurais le dire. Pour moi, ils sont tous du même acabit. Beaucoup de jeunes gens se déguisent comme eux. Ce n'est pas parce qu'ils portent des barbes hirsutes, des cheveux longs, des lunettes noires et des blousons de cuir couverts de chaînes que je peux dire à qui j'ai affaire. Les écussons, les sigles, les chandails imprimés, on peut les acheter en ville.

— Moi, ils ne peuvent pas me tromper, ces barbares à deux roues. Les vrais, ceux qui font partie du un pour cent et qui l'affichent, ils ne sont pas si nombreux, il y a des années que je les file, les traque, les piège. Ils sont très forts, très astucieux. Certains sont très intelligents. Ils ont beaucoup d'argent, ils peuvent donc s'offrir les meilleurs avocats... Délicieux, vraiment délicieux, ce canard. Je ne me souviens pas d'en avoir mangé d'aussi bien apprêté. Je vous félicite.

Ils continuèrent à manger, le plaisir imposant le silence. Ils échangèrent un sourire et entrechoquèrent leurs verres.

— Je ne sais pas si c'est le vin ou le canard, mais je me sens en verve. Il y a longtemps que je ne me suis senti aussi bien. Voulez-vous que je vous raconte l'histoire des Hell's ? demanda l'inspecteur.

— Je veux bien, répondit Charles-Étienne.

Il se leva de table et alla déposer une autre bûche dans la cheminée.

— Je vous écoute, dit-il en se rasseyant.

— En 1948, au mois de mars, une vingtaine de vétérans de l'armée de l'air américaine qui n'arrivaient pas à s'intégrer aux conditions de vie paisible d'après-guerre décidèrent de fonder un club de motards et de devenir des hors-la-loi. Ils baptisèrent leur club «Hell's Angels», nom qu'ils arboraient sur leurs avions de combat, et gardèrent le même symbole, soit une tête de mort stylisée coiffée d'un casque de l'armée hitlérienne. Les ailes qui complètent le blason rappellent celles de l'aigle blanc, emblème de l'Amérique. Vous avez sûrement vu ça quelque part. Un dénommé Sandy Burger avait eu cette troublante idée. Il fut élu président du club puis, plus tard, président de l'organisation internationale.

— Internationale ? s'étonna Charles-Étienne. Je croyais qu'il n'y avait que des Américains et quelques Québécois.

— Au début oui, dans les années 50 en Californie, il y avait trois chapitres. Je me demande d'ailleurs pourquoi ils appellent ça des chapitres... Donc, les chapitres de San Francisco, d'Oakland et de San Bernardino. Aujourd'hui, il y a près de cinq mille Hell's à travers le monde. On compte un chapitre en France, huit en Angleterre, deux en Allemagne de l'Ouest, deux en Hollande, cinq en Australie, un au Brésil, également un en Autriche ainsi qu'au Danemark et en Nouvelle-Zélande, sans oublier les « prospects », c'est-à-dire ceux qui n'ont pas encore obtenu leur accréditation. Voyez ? Ils ont beaucoup proliféré en trente-sept ans.

— C'est mon âge.

— Je vous croyais plus jeune, répliqua l'inspecteur. Dites donc, j'ouvrirais bien une autre bouteille, si vous vouliez.

— Pourquoi pas ?

L'inspecteur inventoria son bar et exhiba joyeusement un Côte de Nuits-Villages, millésimé 1982.

— Ça vous intéresse toujours ?

— Poursuivez.

— Au Québec, ils sont peut-être trois mille. Ceux que je traque représentent tout au plus un pour cent de tous les membres regroupés en clubs. Ce un pour cent là compte ; il ne respecte rien, ni lois ni structures sociales. Leur monde est celui de la violence, du meurtre, du trafic des stupéfiants, des attentats à la bombe, de l'extorsion, de la prostitution, de l'intimidation, des délits sexuels et des règlements de comptes. Ils sont à la tête de réseaux de danseuses nues, contrôlent l'exploitation de bars. En un mot, ils sont aussi bien organisés, peut-être même mieux que la mafia. Ça va toujours ?

— Je vous suis, mais je ne comprends pas grand-chose à tous ces clubs de motards.

— Il y a les Hell's, et, issus de leur club, les Popeyes. Et puis il y a les Outlaws, issus des Satan Choice. La nomenclature de tous les clubs vous ferait rire, à cause des curieux noms qu'ils se donnent : Z'Beers, S.S., Evil's Ones, les Mercenaires, les Cyclones, les Blacks, les Vikings, les Iron Coffin, les Primitifs, les Christ Drivers, les Bucks, les Réincarnés, les Sex Fox, les Knights, les El Toros et j'en passe. Tous ces beaux petits anges s'entretuent, se disputent des territoires. Leurs locaux sont devenus de superforteresses.

— Si je comprends bien, l'interrompit le pourvoyeur, non seulement ils sèment la peur, mais ils ont peur les uns des autres.

— Il faut avoir peur pour porter en permanence une veste pare-balles et être toujours armé jusqu'aux dents. Je ne parle pas de tous les motards, mais de ceux qui sont des criminels. Si la plupart sont relativement pacifiques, ceux dont je vous parle possèdent des locaux équipés de systèmes d'alarme sophistiqués, les vitres des fenêtres et des portes sont blindées, les bâtiments sont munis de tourelles d'observation...

Charles-Étienne s'excusa, se leva pour aller aux toilettes, tandis que l'inspecteur prenait l'initiative d'attiser le feu. Le policier consulta sa montre, bâilla et se demanda : « Qu'est-ce qui me prend de lui raconter ça ? Ce n'est pas dans mes habitudes d'être si bavard. »

— Il est neuf heures, dit-il à Charles-Étienne qui revenait s'installer devant la cheminée. On termine la bouteille et je rentre.

— Il n'y a pas urgence, répliqua Charles-Étienne. Je ne me couche jamais avant minuit. Pour en revenir à votre histoire, demanda-t-il, qu'est-ce qui fait marcher tous ces petits anges, comme vous les appelez ?

— L'enfer.

— L'enfer ?

— Oui, l'enfer. Qu'y a-t-il de plus infernal que d'aimer par-dessus tout une motocyclette, même s'il s'agit d'une Harley-Davidson, de vouer un culte païen aux couleurs de son club, au point de répondre par la violence à ceux qui les outragent ? Y a-t-il plus débile que de prôner la suprématie de la race blanche ? Faut-il être dingue pour vouer un culte à Hitler, à la croix gammée et à tous les autres symboles du nazisme, que les fondateurs de ce club combattaient à l'origine quand ils faisaient partie de l'armée américaine ! Faut-il être prétentieux pour refuser de travailler comme tout le monde ! Vous, vous pourvoyez. Moi, je fais mon job, mais eux, les princes de l'enfer, eux jamais, pas une seule journée de travail dans leur vie.

— Travailler illicitement, c'est aussi travailler. Question de choix. J'imagine le stress, les sueurs froides, les angoisses, les risques, la peur... Euh ! Je préfère de loin ma pourvoirie paisible du lac Saint-Pierre. Moi, monsieur Bastien, je vis en harmonie avec moi-même, la nature, la faune, la flore, les oisi-oiseaux et tout le reste.

— Les femmes y compris ?

— Ça, c'est autre chose. Ça reste au niveau de la tête.

Ils s'esclaffèrent. Puis l'inspecteur-chef referma le couvercle de son bar portable, jeta son manteau sur ses épaules, remercia Charles-Étienne pour l'excellent dîner, mit son chapeau avec l'élégance princière d'un seigneur et tendit au pourvoyeur sa grande main chaude.

— Nous nous reverrons peut-être avant l'ouverture de
la chasse.

— Vous êtes le bienvenu, répondit le pourvoyeur en
ouvrant la porte. Venez quand vous voulez.

Ils enjambèrent le chien couché dehors sur le palier et
le pourvoyeur raccompagna son visiteur jusqu'à sa voiture.

Bastien se retourna et demanda à brûle-pourpoint :

— Dites-moi, Charles-Étienne, le chalet que j'habitais
l'automne dernier... À votre avis, combien en coûterait-il
pour « l'hivériser » ? Je le louerais volontiers à l'année si
cela était possible.

— Je vais y penser, répondit le pourvoyeur.

— Pensez-y sérieusement. Bientôt, je prendrai ma
retraite ; cette région me plaît beaucoup et votre petit chalet
me conviendrait très bien. Mais je ne veux pas m'imposer...

— Je ne dis pas oui, ni non, inspecteur. Laissez-moi y
réfléchir. Nous en reparlerons.

L'inspecteur rangea le bar dans le coffre de sa voiture
et s'empara d'une des revues qui s'y trouvaient.

— Je vous laisse un peu de lecture, dit-il en la lui
tendant. Vous comprendrez peut-être mieux ce que je vous
racontais tout à l'heure. Ouvrez l'œil, les motards reviendront certainement.

— Ne comptez pas sur moi, inspecteur. Je ne travaille
pas pour la police. Ceux qui viennent ici sont avant tout
des chasseurs, des pêcheurs ou tout simplement des gens
qui aiment la nature ; motards ou pas, ce qu'ils font à
l'extérieur de la pourvoirie ne me regarde pas.

Un peu vexé, Bastien bredouilla :

— Je vous disais ça à tout hasard. Allez, merci encore
et bonne nuit.

Le pourvoyeur referma la porte. Il roula un joint de
haschisch qu'il savoura, assis à la grande table. Puis il

regarda le magazine que lui avait remis l'inspecteur et dont le titre, *Sûreté*, annonçait sans équivoque qu'il s'adressait plus aux membres de la police qu'au grand public.

Le poing et l'avant-bras tatoué d'un homme illustraient la couverture.

Les quatre bagues d'argent à tête de mort qui ornaient la main mirent mal à l'aise Charles-Étienne. L'une, entre autres, d'une morbidité effrayante, sertie de rubis, dont le casque qui couvrait le crâne était panaché de pointes d'acier. Il songea qu'un coup de ce poing devait faire de sérieux ravages. Entre les jointures, apparaissaient les lettres F.T.W., tatouées en rouge, cerclées de noir, les points les démarquant placés en haut des lettres et non en bas comme on aurait dû normalement s'y attendre.

Le pourvoyeur feuilleta le magazine. Une photographie montrait un groupe de Hell's lors des funérailles de l'un des leurs. Le tatouage d'un participant était bien visible.

« L'inscription "Filthy Few" accompagnée du sigle des S.S. nazis signifie que le membre est tueur à gages pour le compte de l'organisation. Dans l'exemple ci-dessus, les crânes tatoués au-dessus de l'inscription "Filthy Few" représentent quatre personnes assassinées, dont une femme, identifiée par les yeux rouges, et trois hommes, reconnaissables à leurs yeux noirs. »

Charles-Étienne entama la lecture d'un autre paragraphe du dossier de l'inspecteur-chef.

« Les Hell's se subdivisent en quatre catégories :

« 1 — FOUL FIVE

« Ce titre est accordé à un membre qui s'est mérité cinq ailes, c'est-à-dire les blanches, les rouges, les noires, les jaunes et les brunes, octroyées à la suite d'une débauche qui doit durer cinq jours et cinq nuits pendant lesquels le membre ne doit pas dormir. Mais cette explication n'est pas la seule, d'autres circulent, mystérieuses, sur les règles d'attribution de l'écusson Foul Five.

« 2 — DIRTY THIRTY

« Le membre qui a plus de trente ans porte avec fierté cet écusson rouge et blanc.

« 3 — FILTHY FEW

Celui qui arbore cet écusson a commis au moins un meurtre en présence d'un des membres de l'organisation. Il accède alors à un échelon supérieur et il est reconnu par ses collègues comme un meurtrier. Quelques Filthy Few ajoutent à leur tatouage des éclairs ou les sigles S.S. nazis, qui identifient leur porteur comme un tueur à gages.

« 4 — CANDIDAT OU NOVICE

« Dans le jargon des motards, un candidat (*prospect* ou *striker*) est un aspirant membre. Le novice est parrainé par un membre en règle qui le présentera aux autres lors d'une réunion du chapitre. Après cette étape, le novice pourra assister aux réunions courantes et, durant sa période de probation, il devra commettre des actes criminels. Si la candidature du novice est acceptée à l'unanimité par les membres du clan lors d'une autre réunion, celui-ci devra se soumettre à l'initiation. Si le nouveau membre en passe avec succès les différentes étapes, il pourra recevoir ses couleurs au cours d'une cérémonie solennelle... »

Et plus loin :

« Une étoile tatouée entre le pouce et l'index indique que le membre a été condamné à la prison.

« Le chiffre 13, encerclé, est le symbole de la marijuana et affiche que le membre en use.

« Le chiffre 22, assez fréquent dans la panoplie des tatouages, avoue un séjour en prison.

« Le chiffre 69, encerclé, signale des relations sexuelles bucco-génitales, faites en présence de témoins.

« Le chiffre 666 symbolise Satan.

« Les sigles A.F.F.A., B.T.B.F., D.F.F.L., F.T.W. et M.C. se traduisent par « Angels Forever, Forever Angels » (Anges pour toujours, Anges à jamais), « Bikers Together, Bikers Forever » (Motards ensemble, Motards à jamais), « Dope Forever, Forever Loaded » (La drogue pour toujours, Drogués à jamais), « Fuck The World » et M.C. pour « Motor Clubs ».

Charles-Étienne ne put alors que se remémorer les tableaux qui ornaient les murs du couloir principal du collège de l'Assomption où il avait étudié, dont l'un représentait l'enfer, le diable assis, trônant sur son fauteuil, la fourche à la main, entouré d'anges déchus livrés à tous les vices, et il se rappela la présence d'une balance infernale sur laquelle était inscrite la sentence : « Toujours. Jamais. »

Le haschisch qu'il avait fumé faisant effet, il pouffa de rire, un peu troublé tout de même, songeant : « Évidemment, des ailes. A-t-on jamais imaginé des anges sans ailes ? »

Le titre d'un paragraphe attira son attention : « Les femmes et les motards ».

« Elles occupent une place secondaire au sein des clubs de motards et ne jouissent d'aucun pouvoir décisionnel. Elles sont en fait considérées comme des possessions. Les motards recrutent leurs femmes dans les bars, parmi les adolescentes fugueuses, les délinquantes attirées par l'image de virilité que projettent ces hommes ainsi que par la vie apparemment grisante et facile qu'ils mènent. Certaines entreront ainsi dans ce monde parallèle sans savoir qu'elles se condamnent à une forme d'esclavage et qu'aux yeux des motards, elles ont moins de valeur qu'une motocyclette. Elles peuvent être vendues, achetées ou échangées à l'intérieur du club. Malgré les mauvais traitements qu'elles peuvent subir, elles sont en général aussi loyales envers l'organisation que les membres eux-mêmes. Elles sont également appelées à participer à toutes sortes d'activités criminelles, notamment le trafic des stupéfiants et évidemment la prostitution. Dès qu'elles ne sont plus rentables, elles sont rejetées du clan. Rares sont celles qui peuvent y aspirer à une douce retraite.

« Il y a deux catégories de femmes : les "mamas" ou "punaises" sont sexuellement disponibles à tous les membres, tandis que les "old ladies" ou "poules", les épouses ou petites amies, sont la propriété d'un seul. Les punaises portent, cousu sur leur chandail ou leur veste, un écusson mentionnant "property of..." et le nom du clan auquel elles appartiennent ; la poule porte un écusson semblable, mais suivi du nom du motard qui la considère comme sa femme. La poule est à l'abri des assauts sexuels des autres membres du clan. Ni les punaises ni les poules ne peuvent détenir une carte de membre ; elles ne peuvent également pas assister aux réunions du club. Il faut souligner que les enfants issus de ces unions seront éduqués selon la philosophie du clan. »

La bouche sèche, les mains moites, le pourvoyeur suspendit momentanément sa lecture et avala plusieurs gorgées de bière. « Ce n'est pas catholique ! se dit-il à voix haute. Bastien a le mérite de présenter les choses franchement. »

« Les ailes ».

« Certains affirment que la couleur des ailes que le motard arbore sur son blason a la signification suivante : les ailes blanches indiquent qu'il y a eu relations buccogénitales avec une femme de race blanche. Les ailes noires, idem, avec une femme de race noire ; jaunes, avec une Orientale ; brunes, relations bucco-génitales avec une femme atteinte d'une maladie sexuelle ; les ailes mauves... »

Charles-Étienne bâilla. Il arrêta de lire, déposa le magazine sur la table, éteignit les lumières et alla se coucher sans se dévêtir, à côté de son chien qui dormait déjà, pelotonné sur le lit.

« Ce n'est pas catholique » répéta-t-il avant de sombrer dans le sommeil du juste, bienheureux d'être ce qu'il était, un canard dans l'eau bénite.

6

Les ailes mauves

Ils étaient déjà poivrés vers minuit, Joseph « le Gun »
Mathieu et Jean « Cigare » Miron, attablés dans un coin du
bar L'Axe, rue Saint-Denis. Buvant bière sur bière, ils
étaient obligés de crier pour s'entendre, tellement le
volume des enceintes, surtout celui des basses, résonnait.
Ils planaient. À tour de rôle, ils avaient tiré quelques lignes
dans les toilettes, histoire de se remonter à bloc. Le Gun en
avait eu plus que sa part ; il avait grandement besoin de ce
petit remontant pour mettre son projet à exécution. Il ne
prêtait pas plus d'attention qu'il ne le fallait à la déman-
geaison qui lui chatouillait les narines : il était habitué aux
effets de la drogue et saignait souvent abondamment du
nez. Il était confiant. Cigare était le complice parfait, le
bon témoin. Un vrai de vrai. C'est Cigare qui l'avait parrainé et initié, Cigare encore qui lui avait remis ses couleurs. Et quelle initiation ! Ils en parlaient souvent ensemble. Ainsi, plutôt indifférents aux danseuses qui allaient et
venaient à moitié nues ou se déhanchaient soit sur la scène,
soit sur de petits tabourets qu'elles déposaient devant les
tables des clients, ils se remémoraient une fois de plus le
soir où le Gun avait attiré dans le repaire une jeune punaise

qui s'était soumise aux caprices de tous les membres du clan. Pour mettre la tolérance du Gun à l'épreuve, on l'avait fait passer en dernier.

— C'est ce soir ou jamais, disait-il à Cigare. Ce sont les seules ailes qui me manquent pour être parfait, un vrai comme toi. Et je les veux.

— C'est plus facile à dire qu'à faire, je te l'ai déjà dit. Il faut avoir de l'estomac. Tu vas en prendre un sacré coup, le Gun.

— Je veux mes ailes mauves. Cette nuit, je les aurai. Je suis prêt si tu l'es.

— Je le suis, dit Cigare en se levant.

Les deux hommes sortirent du bar, imposants, bardés de cuir, les mains gantées. Ils firent quelques pas avant de monter dans une Lincoln grise aux vitres teintées.

— Il m'en faut une belle, dit le Gun. Démarre, on va se promener un peu plus haut vers l'hôpital Notre-Dame.

— Et pourquoi là ?

— Eh ! c'est tranquille à cette heure-ci. Et puis j'ai un petit faible pour les infirmières.

Ils roulèrent lentement en direction de l'hôpital et du parc Lafontaine. Le Gun aperçut une fille, seule, qui marchait allègrement en descendant la rue Amherst.

— Approche-toi, dit-il. Suis-la.

La voiture longea lentement le trottoir, dépassa la fille, le temps de permettre au Gun d'évaluer sa proie.

— C'est exactement le genre qu'il me faut. Pas trop repoussante. Ralentis encore.

Cigare suivait les instructions. La fille, s'apercevant qu'elle était suivie, pressa le pas, bien inutilement, car Cigare accélérait à mesure, tandis que le Gun abaissait la vitre de la portière.

— Allez, beauté, ne marche pas si vite. C'est pas la peine de te fatiguer, nous allons te reconduire où tu voudras.

La fille ne répondit pas et continua son chemin.

— Manœuvre délicatement, dit le Gun. Veux, veux pas, elle va faire un beau petit voyage... Quand je te le dirai, tu freines et oust ! je l'embarque.

La fille marchait de plus en plus vite et tournait constamment la tête dans leur direction, ses mains cramponnées à la courroie de son sac à main. Le rouge de ses bottes en cuir verni luisait dans la noirceur, ses talons en martelant l'asphalte résonnaient dans le calme troublant de la nuit fraîche.

— Arrête ! ordonna le Gun en ouvrant la portière.

Paralysée de terreur, la jeune fille n'eut même pas le temps de crier. Le Gun lui enveloppa le cou de son bras gauche et serra de toutes ses forces, la tuant instantanément, puis il souleva sa victime et la projeta dans la voiture.

La scène s'était déroulée avec une rapidité folle. La voiture roula quelques minutes avant que Cigare ne trouve un endroit assez discret pour stationner. Le Gun examina sa victime. Elle était bien morte. Il bascula son corps sur la banquette arrière. Il lui arracha ses vêtements avec une hâte frénétique, ne lui laissant que ses bottes. Lui écartant les jambes, il se pencha sur son sexe, accomplissant les actes qui allaient lui permettre d'obtenir ses ailes mauves. Ensuite, il pénétra le cadavre encore chaud, sans le moindre dégoût apparent.

— Tu la veux ? offrit-il à Cigare, quand il eut terminé.

— J'ai déjà mes ailes, merci. Une fois ça suffit.

— Pas à moi, répliqua le Gun, crâneur. (Mais il avait la nausée et de violentes crampes lui tordaient le ventre.)

Vite, il faut s'en débarrasser. Remonte vers la rue Sher-brooke, prends Saint-Hubert à droite.

La voiture ne s'arrêta que le temps d'être délestée du corps qu'ils jetèrent dans le premier jardin venu. Quelques minutes seulement avaient suffi pour que le Gun se soit acquitté, devant témoin, des épreuves qui allaient lui per-mettre d'arborer ses ailes mauves. Dans la voiture, il s'em-para du sac à main de la jeune fille, en retira les papiers d'identité et les cartes de crédit. Sans plus s'occuper de son contenu, il rejeta le sac ainsi que les vêtements près du cadavre de la pauvre fille.

— Je les brûlerai quand on sera au repaire, dit le Gun en glissant les papiers dans sa poche.

La voiture disparut à toute vitesse en direction de Sorel. Les deux hommes transpiraient. Ils s'arrêtèrent une fois au cours du trajet. Le Gun vomit tout son soûl.

— Je t'avais prévenu, répétait Cigare.

— Je m'en sacre. J'ai mes ailes maintenant. Je suis au même rang que toi.

Le lendemain matin, à l'angle des rues Saint-Hubert et Sherbrooke, dans la belle maison de pierres grises qui s'y élève, Herman Tremblay se levait comme d'habitude à sept heures. Ce matin-là, il dut faire quelques pas pour chercher son journal, maudissant ce petit sacripant de livreur qui ne savait pas lancer. Il repéra finalement le quotidien dans un buisson à un mètre d'une fille nue chaussée de bottes rouges.

L'enquête de routine ne donna rien.

Si l'inspecteur-chef Bastien avait eu vent de l'affaire, son nez aurait viré au mauve. Il aurait deviné qu'il y avait du Hell's là-dessous. N'était-il pas l'un des rares à pouvoir réciter leur code par cœur ?

7

Le manoir et l'été

LE PAPE SE TERRAIT dans son manoir depuis que Mimi
était venue à son secours au sortir de la clinique, après
qu'il eut trouvé son loft saccagé et ses chats assassinés. Le
lendemain de cet effroyable malheur, il avait fait remor-
quer sa voiture chez le concessionnaire, exigé qu'on la
révise et qu'on la peigne en noir. Il rappellerait dans quelques semaines. Rien ne pressait. Une amie viendrait la
chercher.

Le Pape essaya de joindre Mike Water. En vain. Il
déduisit qu'il devait être en vacances.

Condamné par lui-même à être emprisonné dans cette
grande maison, il n'eut plus qu'à tuer le temps.

Mimi et lui s'étaient remis à boire et à se droguer,
moins tout de même qu'auparavant, mais assez pour
oublier la réalité. Et quelle réalité pour un Pape ! Écouter
des enregistrements d'opéras, assister aux spectacles de
Mimi qui devenaient de plus en plus dingues au fur et à
mesure que les jours s'écoulaient, nettoyer les alentours du
manoir, cultiver un petit potager, jouer avec les enfants et
prendre plaisir à les apeurer pour les endurcir de manière à

ce que, plus tard, à son exemple, ils soient insensibles à la pitié. Le Pape acheta d'autres chats. La vie continua. Il songeait constamment à la vengeance et cherchait un moyen de rentrer en scène.

Morin-Heights était un beau manoir du siècle dernier. Plusieurs chambres attendaient des visiteurs qui ne venaient jamais. Chocolat vivait avec les enfants dans la partie rapportée du bâtiment. Veillette et Mimi habitaient la maison d'origine. Une grande pièce au plafond bas et aux poutres apparentes occupait tout le rez-de-chaussée, les murs ayant tous été abattus pour créer un espace à la mesure du Pape et lui permettre de faire les cent pas en tournant autour de la cheminée centrale, dont l'âtre s'ouvrait de deux côtés. Il avait également fait abattre les cloisons du premier étage pour ne conserver que celles de l'immense salle de bains pourvue d'une baignoire géante dans laquelle deux personnes pouvaient s'ébattre sans gêne. La chambre occupait tout le reste de l'étage. Le lit, malgré ses dimensions imposantes, avait l'air minuscule. Dans un coin, la toilette juchée au sommet de plusieurs marches, n'avait pas été modifiée : c'était son trône, comme il le disait fièrement. Seule concession à la modernité, il avait fait recouvrir en miroir un pan de mur qui lui permettait autrefois de s'admirer à souhait. Mimi s'en était emparé pour ses exercices de danse et ses spectacles audacieux.

L'été approchant, il leur arrivait de marcher le soir dans la nature. Ils s'asseyaient sur une grosse pierre plate et le Pape racontait, par bribes, sa vie tumultueuse.

Au début, Mimi l'écoutait avec effroi mais, peu à peu, elle finit par prendre plaisir à ces histoires, à apprécier les sensations fortes qu'elles lui procuraient. Elle en redemandait.

Il déteignait sur elle. Ils commençaient à former un couple enchaîné par des liens inextricables, hors du commun des mortels.

Un soir que les récits du Pape avaient été particulièrement salés, tandis qu'ils rentraient au manoir à cause du vent du nord qui s'était levé, Mimi s'arrêta net, tout excitée, et enleva sa petite culotte pour la lui lancer :

— Touche, lui dit-elle, tu pourrais la tordre !

Il se mit à rire et l'invita à le suivre dans la grange :

— J'ai quelque chose à te montrer !

Il l'empoigna par les hanches et l'entraîna.

La grange était immense et sa charpente admirable. C'est là qu'il avait caché la Jaguar fraîchement repeinte qu'il n'osait même plus utiliser.

Il alluma les nombreux projecteurs et la lumière fut si éblouissante qu'ils mirent quelques instants à s'y habituer. Sur une table ancienne, elle reconnut les armes qu'elle avait rapportées de son expédition au loft. Sous les rayons des projecteurs, des portraits divers, des mannequins de femmes et d'hommes dans des poses diverses attendaient d'être criblés de balles.

— Ah ! fit-elle, impressionnée. Qu'est-ce que c'est ?

— Hi ! Hi ! ricana-t-il en lui tendant un revolver. Attention, il est chargé.

— Je ne sais pas comment faire, répondit-elle en prenant l'arme.

— Je vais te montrer.

Le Pape tenait un long pistolet noir au canon scintillant. Il se campa solidement, un pied en avant, la jambe arrière fléchie et, ses deux mains gantées tenant l'arme à bout de bras avec assurance, il fit feu sur un mannequin, faisant mouche tantôt dans la tête, tantôt dans la région du cœur, à toute vitesse.

Une odeur de poudre parfuma la grange.

— À toi, dit-il. N'aie pas peur.

Quoique troublée par son regard, elle l'admira, fasci-
née par son allure. Elle l'imita du mieux qu'elle put. Les
balles se perdirent dans les planches de pin.

— Sensationnel, s'exclama-t-il, tu as du talent !

Ils rirent comme des gamins.

— Regarde, observe bien, je vais te montrer une autre
fois.

Il reprit la position d'attaque. Elle observa attentivement le moindre de ses gestes, écoutant les instructions
qu'il lui donnait :

— Concentre-toi sur la cible. Ne te laisse pas distraire.
Regarde-moi.

Elle regardait les hautes bottes, le jean moulant le
sexe, la ceinture cloutée, la chemise noire, et elle s'esclaffa
quand elle remarqua, tel un mouchoir, sa petite culotte qui
ornait la poche de la chemise.

Il pencha la tête, retira la culotte de sa poche et la
relança à Mimi.

Était-ce l'odeur de la poudre, les histoires terribles que
le Pape lui avait racontées, la table couverte d'armes, leur
nouvelle complicité ? Cette nuit-là ne fut pas comme les
autres. Soit, ils burent, prirent un peu de coca. Mimi dansa
pour lui autant que pour elle, mais ensuite le Pape, pour la
première fois, laissa Mimi disposer de lui comme elle l'entendait. Elle s'empala passionnément, violemment. Leurs
cris se confondirent. Ils ne s'entendaient plus.

8

Le cimetière

Le lendemain, à des kilomètres de Morin-Heights, une barque filait sur les eaux du Saint-Laurent, propulsée par un puissant moteur hors-bord de marque Mercury. Dans le fond de l'embarcation, traînaient des canards de bois, des bouteilles vides et tout un bric-à-brac. Assis à l'arrière, un homme, cheveux au vent, la dirigeait avec dextérité.

Le pourvoyeur du lac Saint-Pierre, Charles-Étienne Coulombe, naviguait dans ses eaux, octroyées par décret du ministère du Tourisme, de la Chasse et de la Pêche. Sa barque venait de franchir le Chenal-aux-Ours pour entrer dans le Grand-Chenal, à destination du village de Saint-Ignace-de-Loyola où il allait acheter des vivres.

En cette fin de mai, le temps était magnifique, le bleu du ciel à peine effleuré par quelques nuages évanescents, et la végétation, quoique encore tendre, commençait à prendre une teinte plus foncée. Levant les yeux vers le soleil, comme pour le remercier de sa bienfaisante chaleur, le pourvoyeur aperçut dans le ciel, volant très haut, anormalement haut, un oiseau énervé qui virevoltait en spirale, comme désorienté. Il crut reconnaître un martin-pêcheur. L'oiseau tournoya, tournoya puis, soudain, sembla déceler une proie facile. Il monta alors encore, tandis que Charles-Étienne l'observait attentivement. Soudain, l'oiseau fendit l'air et plongea, non pas sur sa victime, mais dans la barque, sur le banc, pour y mourir instantanément, le bec enfoncé dans le bois moisi, ses ailes inutiles retombant de chaque côté de son corps.

Le pourvoyeur coupa le moteur. Après un long regard plein de commisération pour l'oiseau ensanglanté, il le jeta par-dessus bord dans un large geste.

Aussitôt qu'il eut repris place à la barre, il corrigea sa trajectoire et, poussant le moteur à fond, il attaqua de plein fouet les vagues, se délectant des gouttes d'eau qui giclaient sur son visage. Quelques minutes plus tard, il atteignit la pointe de l'île Ronde, puis des eaux plus calmes. Il ralentit le régime du moteur.

Au moment même où il s'apprêtait à accoster au quai de Saint-Ignace-de-Loyola, il décela dans le fond de l'eau une masse sombre qu'il n'avait jamais encore remarquée. Il finit par distinguer un sac de couchage entouré de chaînes et retenu par deux cadenas à un bloc de ciment.

« Ce n'est pas catholique ! se dit-il. Il y a du louche là-dessous. »

Il accosta et se dirigea droit vers l'épicerie. Un enfant aux mains sales achetait des bonbons rouges en vrac.

Le pourvoyeur salua la propriétaire et alla derrière elle vers une cabine téléphonique ouverte. Il hésita quelques instants : devait-il téléphoner à Clément Bastien ou à la Sûreté régionale ? Il introduisit une pièce de monnaie, composa un numéro et entendit :

— Sûreté du Québec à Berthierville. J'écoute.

— Charles-Étienne, le pourvoyeur à l'appareil.

— Ça va, Charles ? répondit la voix féminine qui l'avait reconnu.

— Ça va ! Il faudrait envoyer quelqu'un au quai. J'ai trouvé au fond de l'eau un sac de couchage couvert de chaînes reliées à un bloc de ciment.

— Ne bouge pas. Dans cinq minutes, les policiers seront là. Dis donc ! Il y a un sacré bout de temps que nous nous sommes vus. Tu veux que je vienne un de ces jours ?

— La maison est toujours ouverte, tu le sais !

— Je viendrai, sans doute en fin de semaine.

Le pourvoyeur raccrocha. Il fit ses emplettes comme si de rien n'était, quoique se sentant épié par la propriétaire.

— Vous avez trouvé un sac de couchage ?

— Non, un bloc de ciment.

— J'ai dû mal entendre.

— Vous n'avez rien à entendre.

Moins de cinq minutes s'écoulèrent. Une voiture de police banalisée s'arrêta à deux pas des marches sur lesquelles Charles-Étienne attendait. Il reconnut, au volant, Jos Lacasse avec qui il était allé à l'école primaire, puis au collège de l'Assomption, à quelques kilomètres de là. Ils n'y étaient restés que deux ans. La mort presque simultanée de leurs pères les avait obligés à abandonner leurs études, et ces drames avaient resserré leur amitié. D'ailleurs, ni l'un ni l'autre n'avaient jamais eu l'intention de poursuivre leurs études. Jos, depuis l'enfance, rêvait de devenir policier. Charles-Étienne n'était heureux que dans la nature.

Le jour commençait à tomber et le soleil illuminait la ville de Sorel sur la rive sud du fleuve. Le spectacle était assez beau pour qu'un photographe en fasse une carte postale. Les deux policiers aidèrent le pourvoyeur à remettre le bateau à l'eau. Ils embarquèrent. Remuant sa large rame, le pourvoyeur quitta la rive, naviguant à contre-courant puis, sûr de son fait, il jeta l'ancre à l'eau en disant :

— C'est là, au fond, regardez !

— Donne ta rame, ordonna Jos.

Le policier la plongea si profondément qu'il se mouilla jusqu'au coude et la retira en diagnostiquant :

— Il y a un corps là-dedans, sans aucun doute ! Il faut en référer au quartier général de la Sûreté à Montréal. Garde ça pour toi. N'en parle à personne et ramène-nous, dit Jos sur un ton professionnel.

Les trois hommes se séparèrent.

— Tu sais où me trouver, dit Charles-Étienne, je rentre.

Jos regarda s'éloigner la silhouette de son vieil ami, une sorte d'oméga faisant corps avec sa barque qui laissait derrière elle un sillon phosphorescent d'eau écumante illuminée par le soleil couchant.

Au moment même où le pourvoyeur s'affairait à ses chaudrons pour préparer son repas, une équipe d'experts de la Sûreté du Québec envahissait le quai de Saint-Ignace-de-Loyola. Détectives, plongeurs, photographes allaient et venaient autour du sac de couchage extirpé des eaux.

En retrait, les mains dans les poches, le visage à demi dissimulé par son grand chapeau, un homme vêtu de noir donnait des ordres d'une voix basse et ferme, ordres que tous exécutaient sans le moindre murmure.

Le sac de couchage fut péniblement roulé sur une civière qui prit le chemin d'un fourgon. Les plongeurs, après avoir ramassé leur équipement, regagnèrent le camion qui les attendait, tandis que les détectives, sans mettre leurs sirènes, formèrent un cortège qui prit la direction du laboratoire médico-légal de la Sûreté du Québec, à Montréal.

L'homme au chapeau qui donnait des ordres s'adressa à un sous-lieutenant puis, au lieu de suivre le cortège, il engagea sa voiture dans le rang Saint-Michel, bifurqua à droite dans le rang Saint-Pierre. Quelques minutes plus tard, il s'arrêta, descendit de voiture, ferma la portière d'un coup de pied et se dirigea vers la maison du pourvoyeur.

Il enjamba un chien et frappa à la porte vitrée d'une maison. Charles-Étienne ouvrit.

— Je vous attendais plus ou moins, inspecteur. Vous êtes toujours le bienvenu.

Un interrogatoire de routine suivit, assez incongru entre les deux amis.

— Donc, vous ne savez pas ce que le sac de couchage faisait dans ces eaux ?

Charles-Étienne se retourna vers le policier, le regarda froidement, haussant les épaules et se grattant la moustache.

— Je ne sais pas. Je n'y comprends rien. C'est comme l'oiseau.

— Quel oiseau ?

Le pourvoyeur raconta la mort du martin-pêcheur.

— Curieux, dit l'inspecteur, très curieux. Je sais qu'il y a des espèces d'animaux qui se suicident, mais c'est la première fois que j'entends parler d'un oiseau. Quel rapport y a-t-il, selon vous ?

— Aucun. Deux faits étranges dans une même journée.

— C'est la vie.

— Je dirais plutôt le contraire. Assister au suicide d'un oiseau et trouver un cadavre empaqueté, je ne trouve pas ça très vivant.

La sonnerie du téléphone interrompit leur conversation.

— Pourvoierie du lac Saint-Pierre. Oui. Un moment, s'il vous plaît.

Charles-Étienne tendit le récepteur à Clément Bastien.

— J'écoute. Hum ! Hum ! Hum ! Non ! Sans blague !...
Dis, rapplique demain matin, le plus tôt possible, avec
ton équipe. Il faudra passer le coin au tamis si nécessaire.
S'il y en a un, mon intuition me dit qu'il doit y en avoir
d'autres...

Il y eut un bref silence. L'inspecteur abaissa ses longues paupières, un sourire de *Poker Face* se dessinant sur
ses lèvres.

— Je te demande de ne pas communiquer la nouvelle
aux journalistes. Pas un mot avant demain midi.

Oui, c'est tout.

Dès qu'il eut raccroché, Bastien tendit la main au
pourvoyeur, s'exclamant :

— Je vous félicite... Savez-vous ce qu'il y avait dans
le sac de couchage ? Évidemment non. Eh bien, je vais
vous le dire : le cadavre d'un Hell's. Oui, monsieur, vous
avez fait la découverte du cadavre d'un Hell's en décomposition. Grâce à vous, nous allons enfin pouvoir procéder.

Il était euphorique, se frottait les mains, gloussait,
répétant :

— Des mois, monsieur, des mois que nous bossons.
Vous rendez-vous compte, Charles-Étienne ? Le *Sirocco* va
souffler comme vous n'avez pas idée. Il y a des années que
je ne me suis senti aussi en forme, aussi content. Il faut
fêter ça. Je vous invite à dîner à Montréal. Nous allons
manger des homards.

— Vous êtes gentil, inspecteur, mais je ne peux pas, je
reçois un groupe de pêcheurs tôt demain matin.

— Dans ce cas, nous allons boire un verre et nous
reporterons le dîner à plus tard, dit-il, sortant de sa poche
son flacon d'argent et le tendant au pourvoyeur.

— Qu'est-ce que c'est ?

— Du brandy.

permanence. Ce n'est pas le cas. Allez, dépêche, que je continue ma lecture.

Elle revint avec les verres, vêtue d'un mini maillot de bain bleu phosphorescent et juchée sur des sandales de même couleur à talons aiguilles. Il prit son verre en lui jetant un regard concupiscent, lui fit un clin d'œil et porta un toast reconnaissant :

— Tu m'as sauvé la vie !

— Toi-même, répondit-elle.

— Écoute ça, on parle de moi : « Il est évident que les policiers ont été guidés dans leur enquête par d'excellents informateurs. On sait déjà que ce sont cinq motards du chapitre des Hell's de Laval qui auraient été liquidés, mais qu'en fait, sept motards devaient l'être.

« L'un des condamnés, présumément chef de ce chapitre et surnommé le Pape, ne se serait pas présenté à la réunion fatidique. Depuis, il est introuvable. Un autre membre aurait lui aussi été convié au « procès maison » mais gracié pour des raisons inconnues. »

— Tu dois rester caché, s'écria Mimi. Tu ne dois pas bouger d'ici. Je suis très inquiète. Si quelqu'un te reconnaissait…

— Impossible. J'ai laissé pousser ma barbe.

— Il y a des signes qui te trahiraient : ta démarche, les gants que tu mets chaque fois que tu sors, tes yeux, surtout tes yeux.

— Je porte toujours des verres fumés.

— La Jaguar.

— Je ne m'en sers plus. Elle est comme toi, elle rouille ici. Je commence à trouver le temps long. Je ne suis pas fait pour vivre enfermé dans une maison. J'ai l'impression d'être en prison. Je crois que je préférerais la vraie à celle-ci. Au moins, là, il y a de la vie, du monde, ça bouge.

— J'ai mieux que ça, répliqua le pourvoyeur qui alla vers une armoire, en retira deux verres à cognac et une bouteille de Prince Hubert de Polignac.

Ils se quittèrent en début de soirée, tous deux passablement chaudasses. L'inspecteur rentra à Montréal, sirène hurlante. Il se permettait rarement ce genre de fantaisie mais, ce soir-là, il éprouvait le besoin d'exprimer la joie dans laquelle le mettait non seulement l'alcool, mais surtout la macabre découverte du pourvoyeur.

La brume matinale ne s'était pas encore levée. Les oiseaux chantaient et les canards sauvages cherchaient leur pitance. Les plongeurs de la Sûreté du Québec déchargeaient déjà leur camion et étalaient leur attirail sur le quai. Sur le fleuve, les hors-bord de la police encerclaient le lieu des recherches tandis que le traversier allait imperturbablement de Sorel à Saint-Ignace-de-Loyola.

Ce midi-là, on se pressait au quartier général — c'était le cas de le dire — pour la conférence de l'inspecteur-chef Bastien. La foule des journalistes affectés aux faits divers et aux chroniques judiciaires se disputaient l'espace encombré par les caméras de télévision, les micros, les projecteurs et les nombreux fils électriques. *La Presse*, *Le Devoir*, *Allô Police*, le *Journal de Montréal*, *The Gazette*, *Le Droit*, *Le Soleil*, *La Tribune* et de nombreux correspondants étrangers étaient présents, y compris les reporters des différents réseaux de télévision de langues française et anglaise.

Tel un évêque devant ses ouailles, l'inspecteur-chef Bastien étalait des photos prises lors de la découverte du cadavre et livrait théâtralement quelques bribes d'information.

« Mesdames (il n'y en avait qu'une) et messieurs, ce qui semblait être le corps d'un noyé anonyme, découvert par un passager du traversier de Sorel (il évitait ainsi au pourvoyeur Charles-Étienne d'avoir à affronter la meute des journalistes), était celui d'un motard assassiné. Nous venons de soulever un coin du voile du mystère qui planait depuis quelques mois sur la disparition des membres du chapitre des Hell's de Laval. Nous avons, au cours de la nuit d'hier, identifié la victime. Il s'agit de Roméo Rousseau, mieux connu du milieu sous le nom de Rambo. C'est, en partie, à cause des nombreux tatouages qui couvraient le corps de Rousseau et à certains autres détails signalétiques que nous avons pu connaître son identité. Quatre de ses comparses sont toujours portés disparus depuis le mois de mars dernier. Comme vous le savez, le corps humain en décomposition dégage des gaz qui le poussent, s'il est immergé, à remonter à la surface et ce, malgré le poids que représente un bloc de ciment. À la suite de nos premières analyses, nous pouvons affirmer que le corps de Rambo aurait séjourné au moins deux mois dans les eaux du fleuve... Nous poursuivons présentement nos recherches. Merci. »

Des questions fusèrent qui restèrent sans réponse. Ce qui devait être révélé l'avait été. Il ne fallait surtout pas nuire à l'opération *Sirocco* en révélant trop d'information aux charognards des journaux jaunes qui allaient mettre dans leurs articles deux fois plus qu'ils n'en savaient.

« Y AURAIT-IL EU PURGE ? COUP DE THÉÂTRE ! DÉCOUVERTE MACABRE. LE CADAVRE D'UN HELL'S REPÊCHÉ DES EAUX DU SAINT-LAURENT. »

D'autres titres du même genre faisaient la manchette des journaux du lendemain. C'est surtout un journal à sensation qui, grâce aux nombreux contacts que ses journalistes entretenaient avec des gens de justice, des indicateurs et certains policiers peu scrupuleux, avait réussi à monter

un reportage percutant, plusieurs photos à l'appui, dont celles des motards disparus : Jean-Marie « Snif » Pratt, Laurent « la Gueule » Dupont, Claude « Moustache » Michaud, Laurent « Pif » Francœur, Jacques « Shaft » Meunier. Dans un encadré, aussi spectaculaire que morbide, celle du cadavre de Rambo, que des détectives examinaient sur la berge du fleuve. Une autre photo exhibait les cinq motos Harley-Davidson ayant appartenu aux disparus. Tous les journaux se vendirent comme les premiers blés d'Inde de la saison. Cette affaire devint, durant tout l'été, un sujet populaire de conversation.

Le plus concerné de tous, le Pape, dès qu'il apprit par la radio la découverte du cadavre de Rambo, envoya Mimi au village acheter un exemplaire de tous les journaux. Il trépignait d'impatience. Il voulait tout savoir, connaître tous les détails. Tantôt jubilant d'avoir suivi sa cure et félicitant Mimi pour son conseil. Tantôt pris de panique, songeant à se construire une cachette plus sûre dans le sous-sol, ou dans la grange, entouré de ses armes et de ses munitions. Fébrile, il dévora les articles à haute voix pour que Mimi partage ses émotions. Il s'imaginait victime, enchaîné dans un sac de couchage et dérivant dans les eaux.

— Christ-de-calice-de-saint-sacrement-de-saint-chrême ! J'y ai échappé de justesse, s'écria le Pape. Vite, verse-moi une vodka.

— Crois-tu que les autres membres ont subi le même sort ? demanda Mimi en allant chercher le breuvage.

— Si j'avais eu à liquider un gang, j'aurais dispo[s] des cadavres autrement, sans laisser de trace.

— Ah ! Et comment ?

— Penses-y deux secondes. Dans un dépotoir, à [ciel] ouvert par exemple, parmi les déchets qui brûler[ent]

— Non mais tu te vois derrière les barreaux ?

— Laisse, j'ai mon idée. Occupe-toi de tes petits morveux, je vais m'arranger avec mon problème.

Mimi le regarda droit dans les yeux et l'envoya paître effrontément au risque de soulever une tempête :

— Le vrai courage, ce n'est pas de se jeter dans la gueule du loup. Tu veux que je te dise ? Tu es un sacré lâche. Un peureux. Quand tu n'as pas ton revolver ou ta fausse tiare, tu n'es rien. Je t'observe pendant que tu lis les journaux. C'est évident, tu chies dans ta culotte.

Elle lui tourna le dos, ramassant au passage un déshabillé noir qu'elle enfila en se sauvant, consciente de l'avoir inutilement provoqué et humilié.

— *Fuck you* ! entendit-elle hurler pendant qu'elle descendait l'escalier. Je ne suis plus le Pape, cria-t-il. J'ai abdiqué. Je ne suis pas lâche. Je ne suis pas peureux. Je veux sauver ma peau, mais je n'ai pas encore sali ma culotte.

Il donna quelques retentissants coups de poing dans un mur, frappa du pied tel un enfant impuissant à exprimer sa rage, se servit une autre vodka, alluma une cigarette et reprit sa lecture non sans avoir vociféré quelques jurons de son meilleur cru.

Un article reliait ce que le journaliste appelait « La guerre de succession O'Burn » à la disparition des Hell's.

Suivait la liste des meurtres, soit ceux des quatre victimes de l'explosion de l'appartement du boulevard de Maisonneuve et ceux, toujours inexpliqués, de Calvino Piacenti, Bob Marion et Jean Tremblay.

Le Pape referma le journal qui alla rejoindre les autres sur un tas et il se dit, en riant, que les journalistes auraient mieux fait de le consulter. Il alla se rouler un joint, le fuma lentement tout en sirotant sa vodka, et chercha une solution

à son problème. La réserve de drogue et ses économies,
n'allaient pas durer indéfiniment. Soit, il pourrait toujours
commettre un *hold-up* pour renflouer la caisse. Ce n'était
pas une solution. Il songea à aller voir ailleurs. Il n'avait
pas besoin de passeport pour traverser la frontière ou
séjourner dans le sud. Sa tête avait été mise à prix, bien sûr,
et où qu'il aille, il risquait de ne pas y être longtemps.
Voilà que ses crises le reprenaient. Il voyait des ennemis
cachés dans les armoires ou derrière les fenêtres. Il ins-
pecta tous les recoins et, rassuré, rengaina son arme et se
pavana devant le grand miroir.

Il décida qu'il valait mieux ne plus sortir le jour. Le
soir, il irait marcher avec Mimi et faire quelques exercices
de tir dans la grange. Il remettait à plus tard la décision à
prendre. Pour le moment, ne comptait à ses yeux que la
lecture des nouvelles. Il allait être gâté. Tous les jours,
Mimi les lui rapportait du village. Le battage était
immense. Tout le Canada ne parlait plus que des Hell's.
C'est ainsi qu'il apprit que les plongeurs de la Sûreté du
Québec avaient repêché cinq autres corps en autant de
jours. Le samedi, ce fut le corps de Rambo, dimanche celui
de Snif et, le lundi, les plongeurs remontaient à la surface
le cadavre de la Gueule, tué, semblait-il deux semaines
plus tard que les autres motards. Mardi, le cadavre de Pif
était traîné sur la grève et, le mercredi, Shaft et Moustache
quittaient le cimetière fluvial.

C'est ainsi que le Pape apprit, dans les articles publiés
d'après les rapports émis par les experts de l'Institut de
médecine légale, que Rambo avait été tué de deux balles
dans la tête et que les projectiles étaient de calibre 357 ou
38 spécial ; la première balle s'était logée dans la joue
gauche et la seconde dans la nuque. Snif avait connu le
même sort : une balle dans la nuque et une autre sous

l'oreille gauche. La Gueule avait été sauvagement battu : il avait la mâchoire cassée et son corps portait de nombreuses marques de coups. Selon les pathologistes qui avaient pratiqué l'autopsie, la Gueule était dans le coma quand il aurait été balancé dans le fleuve. Pif aurait été criblé de cinq balles et, fait à noter, toutes auraient été tirées dans le dos.

Puis, un matin, ultime suprise, un autre cadavre était soustrait au cimetière marin de Saint-Ignace-de-Loyola, celui d'une femme cette fois, à la consternation des plongeurs. La victime, dont le corps était en état avancé de décomposition, fut identifiée grâce à une chaînette. Il s'agissait de Suzanne « Blondie » Hutchison, l'épouse de Shaft.

Avec la saison, la quantité de particules en suspension dans l'eau augmentait, et les fouilles devenaient de plus en plus difficiles. Les policiers-plongeurs n'y voyaient pas à plus de trente centimètres et leurs projecteurs, pourtant puissants, ne parvenaient pas à percer l'opacité de l'eau. Des centaines et des centaines de curieux se pressaient sur le quai de Saint-Ignace pour suivre les recherches. Les journalistes présents recueillaient les témoignages :

— Moi, dit une femme qui refusa de se nommer, je veux voir repêcher un cadavre, pas pour le regarder de près, il paraît qu'ils sont affreusement enflés, mais de loin, juste pour voir à quoi ressemble un corps de noyé. C'est morbide, j'en conviens, mais après tout, ce ne sont que des motards !

Un septuagénaire, quant à lui, accoudé sur la rampe du quai, observait à l'aide de ses jumelles.

— Moi, confia-t-il, tout ce qui concerne les motards me passionne. On dit qu'ils sont des hors-la-loi sanguinaires qui ne reculent devant rien. J'en vois la preuve, mais j'ai aussi l'impression qu'ils sont si puissants que la police, les avocats et même les juges tremblent devant eux. Oui, ça me passionne. Je viens tous les jours depuis la découverte du corps de ce dénommé Rambo. Je lis tout ce qu'on écrit sur eux. Ils me font peur, mais ils représentent un formidable pouvoir parallèle, un front uni, le symbole même d'une autorité incontestée, et c'est peut-être ce qui me fascine.

Une délatrice, surnommée Gigi, qui avait donné aux autorités de précieux renseignements sur le gang de l'ouest et les liens qui unissaient ce groupe de criminels aux Hell's, menaça de poursuivre les policiers pour n'avoir pas respecté leurs promesses à son égard. Elle prétendait que sans ses informations, la police n'aurait pu démêler les activités des bandes qui s'entretuaient depuis des mois. Cette femme affirmait qu'elle avait été le témoin de l'explosion de la charge de dynamite qui avait causé la mort des quatre membres du gang de l'ouest, au mois de novembre dernier, dans un immeuble du boulevard de Maisonneuve. Elle allait jusqu'à soutenir qu'un membre du chapitre lavallois des Hell's se trouvait sur les lieux lors de l'explosion.

Gigi était détenue depuis plusieurs mois à la prison Tanguay réservée aux femmes. Prostituée, danseuse nue, trafiquante, elle disait s'être décidée à collaborer avec la police à la suite de menaces de mort et affirmait que les policiers qui s'étaient occupés de son cas avaient eu droit à ses faveurs. Elle menaçait de les poursuivre en justice si elle n'était pas mieux protégée.

«La Gigi, déclara un porte-parole des Services de la police de la communauté urbaine de Montréal, aurait mieux fait de se taire. Si elle avait réfléchi un peu, elle aurait réalisé qu'elle n'avait jamais été aussi bien protégée qu'à la prison des femmes où elle était beaucoup mieux qu'au fond du fleuve.»

9

Le *Sirocco*

Dᴇᴘᴜɪs ʟᴇ ᴛᴇᴍᴘs qu'il attendait avec la patience d'un chasseur embusqué, l'inspecteur-chef Clément Bastien, enfin muni de mandats de perquisition et d'arrêt, fut tout heureux de mettre enfin en branle ce qu'il appelait la phase décisive de l'opération *Sirocco*.

Avec l'aide de Brian Agerty de la communauté urbaine de Montréal et William Best de la gendarmerie royale du Canada, mais surtout des membres de l'escouade tactique SWAT, armés jusqu'aux dents et transportés dans des véhicules blindés, les manœuvres allaient commencer. Tous les repaires des Hell's où qu'ils soient — Joliette, Sherbrooke, Lennoxville, Sorel et ailleurs — recevraient une visite-surprise aux petites heures du matin. Les policiers avaient en main pas moins d'une centaine de mandats d'amener. L'opération se déroula comme prévu à Lennoxville. Les policiers durent forcer l'entrée du repaire à l'aide d'un bélier mécanique. Escortés de chiens, ils y mirent près de cinq heures à récolter des chaînes attachées à des blocs de ciment, des sacs de couchage, de nombreuses armes et des quantités considérables de drogues. Il y en avait pour quelque huit millions de dollars, soit 3,5 kg de cocaïne pure à 90 pour 100, 28,5 kg de haschisch, 7 g de PCP ou poudre d'ange (nous y voilà), 454 g de méta-amphétamines, 9000 buvards, et un grand nombre de capsules de LSD.

Furent arrêtés, menottés et conduits à la prison de la rue Parthenais à Montréal, plusieurs membres du club de Sorel, dont les noms seuls constituent un poème. On commençait déjà à s'inquiéter du coût pour l'État d'une instruction aussi gigantesque.

Ces arrestations et ces perquisitions n'occupèrent pas que la police. Les avocats des Hell's de Sherbrooke, appelés à défendre les membres du club et à protéger ceux qui n'avaient pas été arrêtés, protestèrent de façon virulente. Non seulement ils portaient plainte en haut lieu, mais ils firent parvenir aux journaux un communiqué offusqué.

On y lisait:

«Le Club de motocyclistes de Sherbrooke Inc. reproche à la Sûreté du Québec de l'Estrie d'avoir causé de sérieux dommages lors de la perquisition de la semaine dernière à Lennoxville.

«Les Hell's de Lennoxville dénoncent également le harcèlement dont ils sont victimes de la part des policiers depuis quelques années dans le district de Saint-François. [...]»

Enfin, après avoir effrontément réclamé des excuses des autorités, les auteurs dénonçaient:

«[...] la saisie annoncée d'armes et de stupéfiants en quantité. Les armes font l'objet d'autorisations de détention et les policiers ne peuvent faire état que de 3,6 kg de haschisch [...]»

Avant de conclure sur le thème:

«Les Hell's ne veulent pas nuire au travail des policiers...»

Le communiqué portait les signatures des avocats Kenneth Wineberg et Jean Bourque.

Quand le procureur général, Me Nicolas Bélanger, confortablement installé dans son bureau, en eut terminé la lecture, il s'esclaffa au point de ressentir de vives douleurs aux côtes.

— Quel charabia! Les Hell's auraient intérêt à recourir à des avocats articulés, sinon je crains que la Couronne n'en fasse qu'une bouchée.

Cependant, le procureur ignorait que les mêmes avocats avaient déjà, au nom des motocyclistes arrêtés, retenu à grands frais, soit au tarif horaire minimal de deux cent cinquante dollars, les services des plaideurs les plus réputés du pays, Me Jean-Julien de Sève, Me Roland D. Dagenais et Me Lucien Daumier. Tous de fins renards attirés par les causes sensationnelles et bien payées.

Ce jour-là, le ministre de la Justice, considérant l'importance du dossier, retirait la responsabilité de l'enquête au coroner, qui l'assumait normalement, pour la confier à l'honorable juge Joseph Quincy Dumas de la Cour des sessions de la paix. Au même moment, le directeur de l'information au journal *La Presse*, après avoir consulté l'éditeur adjoint et les éditorialistes, décidait de confier la couverture de l'affaire à l'un de ses meilleurs reporters.

10

Henri Guillaume

Les journalistes de *La Presse* forment un essaim d'abeilles qui doivent renouveler leur miel tous les jours.

Ils sont dans l'obligation de rapporter de quoi noircir les colonnes que la publicité n'accapare pas.

Ce vendredi soir là, dans la salle de rédaction, tous ou presque accouchaient d'un article en pianotant sur le clavier de leur ordinateur. Les sonneries des téléphones retentissaient.

Un grand fou, Samuel Lachance, surnommé Bouboule à cause de sa bedaine proéminente, poursuivait un récit salace qui souleva de grands éclats de rire. Assigné à l'aéronautique, Samuel Lachance avait terminé son article avant les autres et attendait ses amis pour aller fêter le *deadline*. Certains journalistes n'appréciaient guère ces gamineries tant qu'ils ne pouvaient y participer; mais dès qu'ils en avaient terminé, ils couraient se joindre au groupe pour se réunir dans un restaurant du quartier afin de fêter jusqu'à l'ivresse sublime le congé de la fin de semaine et régler une fois pour toutes le sort du monde.

Dans le coin ouest de la salle de rédaction, se regroupaient quelques « pros » qui avaient beaucoup de choses en

commun : l'âge, la mémoire, le sens de l'histoire, le respect de la langue française et bien d'autres qualités qui
compensaient leurs inavouables défauts. Étienne Lamou-
reux, internationaliste reconnu, avait hérité, contre son gré,
des affaires municipales ; Rose Deschamps, mondialiste
militante et égalitariste enragée, était chargée des pages
féminines ; Éloie Genest, athée, couvrait les événements
religieux, ce qui lui valait son surnom de « Mystique ».
Tous les sujets qui concernaient l'éducation et l'enseignement relevaient de la compétence d'Henri Guillaume. Il
avait obtenu de la direction de *La Presse* le privilège de
faire des études en sociologie, en droit, en sciences politiques et, d'année en année, avait accumulé assez de
diplômes pour se permettre d'être aussi humble qu'au premier jour de son adolescence quand il avait été engagé à la
messagerie. D'étape en étape, il avait accédé aux faits
divers, puis au reportage général pour finalement aboutir à
cette chronique de l'éducation qu'il rédigeait depuis
presque vingt ans.

À peine venait-il de terminer la rédaction de son article sur la délinquance linguistique dans le monde que le
directeur de l'information, en dépit de l'heure tardive, le
convoqua.

— Asseyez-vous, mon vieux, l'invita M. Lemieux, lui
offrant une de ces gitanes si prisées dans le milieu journalistique. Ça va ? Pas de problème ? Votre fausse mère est
toujours en bonne santé ? Un verre de cognac ?

Le bonhomme tourna mielleusement autour du pot.
Guillaume le coupa :

— Où voulez-vous en venir ?

— En accord avec la direction du journal, j'ai décidé
de vous confier le dossier des Hell's.

— Ce n'est plus dans mes cordes !

— Elles étaient les vôtres, il y a quelques années, j'en conviens, mais une telle affaire demande du doigté. Il nous faut un journaliste comme vous, qui jouit d'une grande crédibilité.

Les compliments fusèrent jusqu'à l'indécence.

— Et ma chronique ?

— Vous laissez tomber jusqu'à nouvel ordre. Quelqu'un d'autre s'en chargera. Voici ce que je vous propose. Vous demandez à Ferron tous les renseignements sur la tuerie de Lennoxville et, lundi prochain, je veux une réponse... affirmative, bien entendu ! Vous pourrez disposer de votre temps comme bon vous semblera. Toutes vos dépenses seront assumées par le journal, vous toucherez une prime conséquente à la fin de votre enquête. Songez-y, c'est une excellente proposition.

— Franchement, vous me prenez par surprise, mais autant avouer tout de suite que je ne suis pas très intéressé.

— Vous verrez, c'est captivant. De plus, vous aurez droit à des vacances supplémentaires. Allons, à bientôt, mon vieux.

Quand Henri Guillaume revint dans la salle de rédaction, il la trouva presque vide. N'y restaient que le chef de pupitre et les journalistes de nuit qu'il ne connaissait presque pas. Il se rendit au centre de documentation, fouilla dans les classeurs et retira les dossiers des Hell's qu'il photocopia. Il alla au vestiaire décrocher son imperméable et son chapeau feutre, puis sortit, sifflotant comme toujours quand il avait à prendre une décision, et il héla un des taxis stationnés en permanence devant l'immeuble.

Il prit place à côté du chauffeur, songeur.

« Non, ça ne m'intéresse pas. Ce n'est pas le moment, alors que l'enseignement du français reprend de l'importance, de troquer ma chronique contre celle des meurtres.

Je refuse. Il y a sûrement un autre journaliste qui conviendrait mieux que moi. »

Plus jamais, s'était-il juré après quatre ans de service aux faits divers, plus jamais la morgue, les catastrophes. Il se revit au quartier général de la Sûreté du Québec, dans la pièce réservée aux journalistes ; lui, si petit au milieu de géants. Ah oui ! il se rappelait, et comment donc, Clément Bastien, Satchuk, Saint-Cyr, Vermette et tant d'autres détectives, dont ce Hétu, chargé de la délinquance juvénile qu'il avait vu, de ses yeux vu, et entendu interroger une petite fille de douze ans à peine pour vol et vagabondage, d'une façon indécente. Il l'entendait encore :

— Une quoi ?

— Tu sais très bien de quoi je parle.

— Non, monsieur.

— Mais si ! Les petites filles n'en ont pas. Donc, tu en as vu une. Avoue-le.

— Oui.

— Tu as touché ?

— Non.

— Je te crois. Tu n'as jamais touché, mais est-ce que des messieurs t'ont déjà fait des avances ?

— Des avances ? Qu'est-ce que vous voulez dire ? Je ne comprends pas.

Et le porc insistait, se faisait plus brutal.

Henri Guillaume revivait sa colère, son indignation. S'il avait été costaud, le Hétu n'aurait pas poursuivi son interrogatoire sur ce ton. Mais il se mit à sourire en se rappelant le compte-rendu qu'il en avait fait et sa satisfaction quand il remit son article au chef de pupitre.

L'article avait paru de justesse. Les répercussions furent immédiates. Hétu fut suspendu de ses fonctions et relégué à jamais au service des archives.

Henri Guillaume revit le grand Bastien, « l'Évêque », comme l'appelaient ses collègues. Un lettré, parlant couramment le grec, le français, l'italien, l'espagnol, l'allemand et l'anglais. « Le défroqué », comme on le nommait aussi quand il tournait le dos, ou encore « le faux jésuite ». L'homme était d'une espèce rare.

Il lui avait fait la causette quand il s'était retrouvé menotté au pied d'une lourde table en chêne par les détectives qui ne tenaient pas à ce qu'il soit témoin d'une descente sauvage.

L'Évêque, désolé de ne pas avoir les clés, avait tâché ce soir-là de défendre ses collègues.

Henri Guillaume descendit du taxi. Toujours absorbé par le passé, il revivait cette fois la scène qui lui avait valu son changement d'affectation. Des détectives ivres battaient à coups d'annuaire des détenus patibulaires au cours d'un interrogatoire. Il connaissait la pratique qui avait l'avantage de ne pas laisser de marques. Elle était rarement employée, mais chaque fois les cris des victimes traversant les murs lui tournaient les sangs.

Et pan sur la gueule ! Un aveu était arraché. Pan, un autre. Ainsi de suite. Il se sentait immanquablement indigné, impuissant. Mais ce soir-là, il y eut le boom d'un coup de pied dans la porte battante de la pièce où se jouait la bavure, le flash du photographe, puis la course folle vers la salle de rédaction. Le lendemain, la une du journal révélait ce que tout le monde savait mais que personne n'osait dire : les policiers ne se gênent pas pour molester à l'occasion les détenus récalcitrants.

En entrant chez lui, Henri Guillaume avait pris sa décision : « Jamais, plus jamais je ne fréquenterai ce milieu-là. »

— Coucou, c'est moi, dit-il.

— Tu n'es pas allé au café avec tes confrères, comme d'habitude ? lui répondit une voix féminine.

— Je n'en avais pas envie.

Evanelle s'était levée, délaissant le film qu'elle regardait à la télévision ; elle venait chercher la bise qu'il lui donnait sur le front chaque fois qu'il rentrait à la maison.

— Tu n'as pas l'air dans ton assiette.

— Ça va, répondit Henri Guillaume. Ça va. Je vous en prie, retournez au salon, vous allez manquer la suite du film. Je me sers à boire et je reviens vous tenir compagnie.

Henri Guillaume se dirigea vers sa chambre où il retira son habit de velours noir qu'il suspendit avec soin dans la garde-robe parmi d'autres habits de velours côtelé tous semblables. Il enfila, en guise de robe de chambre, un long chandail qui lui tombait jusqu'aux genoux. Après s'être servi une généreuse rasade de scotch, il alla rejoindre au salon Mme Evanelle Ampleman.

Elle n'était pas sa vraie mère, mais tout comme. Voilà des années qu'il habitait chez elle. Il n'aurait su dire la date de l'annonce qu'elle avait fait paraître dans le journal sous la rubrique « À louer » : « Vieille dame respectable et cultivée cherche locataire tout aussi respectable et cultivé pour meubler sa solitude. Grande maison. Tout confort. Excellente table. Bonne humeur et humour assurés. Prière de communiquer par écrit avec Mme Evanelle Ampleman, casier postal 1319, Outremont. »

L'originalité de l'annonce l'avait séduit. Il était las de sa vie de célibataire et de son petit appartement où il n'allait que pour dormir. Toujours est-il qu'il écrivit à Mme Ampleman et que, deux jours plus tard, Mme Evanelle Ampleman téléphonait à Henri Guillaume au journal. Ils prirent rendez-vous le soir même pour un dîner en tête à tête au bar maritime du Ritz Canton. Il devait la reconnaître à ses cheveux blancs noués en chignon, sa robe mauve et ses yeux verts, vraiment verts, avait-elle précisé.

C'était la plus jolie petite vieille qui se puisse imaginer. Élégante, vive, éblouissante. Il s'était incliné pour baiser la main qu'elle lui tendait.

Quelle soirée formidable ! Deux excentriques venaient de se trouver. Le digestif fut pris chez elle où elle l'invita à visiter la maison. La nuit était bien avancée quand Henri Guillaume était rentré chez lui, euphorique, après avoir donné à sa gentille logeuse un premier baiser sur le front.

— Tu as passé une belle journée ? s'enquit-elle.

— Je suis dans de beaux draps. Au moment où j'allais quitter le bureau, le directeur m'a convoqué.

— Ah ! Une promotion ?

— Vous ne connaissez pas Lemieux. Quand il vous demande « Vous avez deux minutes ? » sur un ton autoritaire, ce n'est pas pour vous offrir une promotion...

— Mais qu'est-ce qu'il te voulait ?

— En principe, je ne dois pas en parler, c'est *top secret*.

— Allons donc !

— Il m'a demandé de couvrir l'affaire des Hell's.

— C'est merveilleux ! Je ne comprends pas pourquoi tu te mets dans un pareil état ! Il y a des mois que tu te lamentes sur ton sort. La vérité est que tu t'ennuies.

— Vous exagérez, Evanelle.

— C'est l'occasion ou jamais. Les lecteurs vont s'arracher tes articles. Cette affaire est captivante. Ah ! si j'étais journaliste…

Il trouva que l'enthousiasme l'embellissait. Malgré l'arthrite, ses mains fines virevoltaient.

Elle l'encourageait comme une vraie maman, moqueuse et espiègle, lui racontait des détails sur l'affaire et lui répétait les rumeurs qui circulaient :

— Est-ce que tu sais que la propriété de l'un des avocats de la défense a été visitée par la police ? Sais-tu qu'on y a trouvé de la drogue ?

Devant le silence étonné d'Henri Guillaume, elle se leva, ajoutant :

— Il n'y a pas plus mal chaussé qu'un cordonnier ! Elle alla se verser un cognac.

— Lundi, bordel ! Je lui dirai que j'accepte.

* * *

Lemieux joua l'étonné :

— Vraiment ? J'avais cru comprendre que vous refuseriez. C'est bien ainsi, la direction du journal appréciera.

— J'ai une condition, une seule.

— Mais non, mais non, monsieur Guillaume, il ne peut y avoir de condition.

— Mais si, mais si, monsieur Lemieux. Je demande que tous mes articles sur le sujet paraissent en première page.

— Et pourquoi ? Vous voulez vous mettre en vedette ?

— Pas moi, les Hell's. Mon intuition me dit qu'ils apprécieront de l'être ailleurs que dans les journaux à sensation. De deux, je crois que cela facilitera mes contacts. De trois, peut-être que je me sentirai plus sécurisé.

— Que craignez-vous ?

— Disons que j'ai peur d'avoir peur.

— C'est bon, mais ne tirez plus sur la corde.

Les deux hommes se séparèrent en souriant, apparemment complices, Henri Guillaume traitant en lui-même son supérieur de tous les noms et Jean Lemieux s'empressant de faire un rapport à la haute direction pour en soutirer quelques compliments immérités.

«Bordel! se disait Guillaume revenu à son bureau et se frottant les mains, il y a un journaliste qui ne sera plus jamais menotté à une table et des avocats qui vont apprendre que moi aussi j'ai fait mon droit.»

Il plaça un appel au quartier général de la Sûreté du Québec et demanda Clément Bastien.

— Ce n'est pas vrai, un revenant! s'exclama l'inspecteur-chef. Je ne vous ai pas oublié, je lis vos articles assidûment.

— Moi non plus, je ne vous ai pas oublié, mais nous nous sommes perdus de vue.

— C'est votre faute! Je suis toujours au même endroit, comme vous pouvez le constater. Qu'est-ce qui me vaut le plaisir?

— Je vous raconterai, si vous voulez m'accorder un rendez-vous.

Ils se mirent d'accord pour six heures au Bistrot Saint-Denis.

Henri Guillaume raccrocha et s'étonna d'avoir les mains moites. Il téléphona à Evanelle pour la prévenir qu'il ne rentrait pas dîner et lui demanda si elle voulait jouer à la secrétaire, ce qu'elle accepta avec amusement. Il la chargea de dénicher le numéro de téléphone et l'adresse de Me Jean-Julien de Sève.

«Bordel! s'écria-t-il un peu avant dix-huit heures en mettant le nez dehors, quel maudit pays! À peine avons-nous le temps de nous réchauffer un peu que le nordet nous souffle dessus.»

Il trouva que le Bistrot Saint-Denis ressemblait à un vrai café-bar français comme il en avait fréquenté à Paris.

— Hé ! Prof ! Vous êtes tôt ce soir, s'exclama le barman à l'arrivée d'un autre client.

— Mes cours ont été annulés, répondit une voix qu'Henri Guillaume reconnut.

Le faux professeur Clément Bastien vint s'asseoir à côté du journaliste. Ils se serrèrent la main et la conversation s'enchaîna comme si les deux hommes s'étaient quittés la veille. Ils allèrent s'installer au fond de la salle à manger, tandis qu'une jeune fille suivait avec leurs verres.

Quelques heures plus tard, ils étaient toujours à table. Ils entamaient leur deuxième bouteille en attaquant les fromages, qui avaient été précédés d'huîtres et de cailles farcies au riz sauvage. Tout avait été dit et un marché conclu. Guillaume serait servi de première main à la condition qu'il ne révèle jamais l'identité de son informateur.

L'inspecteur-chef avait encore à faire. Il accepta joyeusement que le journaliste acquitte l'addition et prit congé.

— Vous savez où me trouver, Henri, soyez à l'aise, vous m'appelez quand vous voudrez.

Henri Guillaume resta attablé, le temps de terminer la bouteille de vin. Sa vie repassait. Il aurait voulu pouvoir dire, comme Evanelle Ampleman, que les souvenirs sont futiles. Mais il n'en croyait rien. Il revivait son enfance maladive et le désespoir qui s'était abattu sur lui quand il avait appris que le diabète hypothéquait son avenir. Qu'à cela ne tienne, se dit-il. J'ai quarante ans et je suis encore vivant.

11

Le cerbère

Mᵐᵉ EVANELLE AMPLEMAN s'était si bien acquittée de son nouveau rôle de secrétaire qu'Henri Guillaume se présentait le jeudi à onze heures chez Mᵉ Jean-Julien de Sève. La neige, qui faisait penser à du sel fin, tombait dru. Un mélange de pluie et de grêle que le vent du nord poussait en rafales. Les passants avançaient avec effort, tête courbée, la main gantée déployée devant les yeux en guise de visière.

Henri Guillaume chercha attentivement dans la neige des traces de pattes de chien, car il en avait une peur incontrôlable depuis son enfance.

Lorsqu'il revenait de l'école, le chien des voisins l'attendait assis sur l'avant-dernière marche de l'escalier qui conduisait au balcon ; là, les oreilles dressées, la queue raide, la mâchoire tendue, les yeux jaunes rivés sur sa proie, la bête guettait le moment où le petit garçon traverserait la rue en courant pour partir à ses trousses et lui enfoncer ses crocs dans la cheville.

L'ex-enfant mordu sonna à la porte du juriste, dont il se souvenait avoir vu construire la splendide demeure en pierre de taille.

Un adolescent mince et blond, vêtu d'un jean et d'un ample T-shirt blanc sur lequel était imprimé « À BAS L'ÉCOLE », lui ouvrit la porte. Il annonça :

— Il y a quelqu'un pour Jean-Julien.

Une jolie femme dans la quarantaine, qui s'apprêtait à sortir, vêtue d'une pelisse beige, le fit passer dans un salon haut de plafond.

Allant vers l'escalier qui montait du sous-sol, elle annonça :

— Jean-Julien, M. Guillaume est arrivé, il t'attend au salon. Je donnerai des nouvelles au cours de la journée. Au revoir. Elle sortit aussitôt, suivie du jeune homme.

Henri Guillaume se leva et fit quelques pas pour inventorier les lieux. Maître de Sève tardait à se montrer. Guillaume consulta sa montre, alla se rasseoir. Il leva les yeux, détaillant les objets rangés dans une vitrine : statuettes féminines des années trente avec leurs ombrelles, leurs chapeaux, leurs dentelles, les pieds chaussés de petits bottillons lacés. Puis il remarqua une sculpture de bronze, finement ouvragée, représentant l'immolation du fils d'Abraham par Jacob, soudain arrêté par la main de l'ange armé tenant dans sa main libre un agneau à sacrifier.

Enfin apparut l'avocat vêtu d'une robe de chambre en ratine d'un beige défraîchi. Henri Guillaume le photographia mentalement selon son habitude, portant attention aux moindres détails. Des années plus tard, il pourrait décrire Me de Sève, préciser que ses cheveux se faisaient rares, qu'ils étaient bruns, coiffés vers l'arrière, et découvraient de grandes oreilles d'un dessin capricieux, que le nez était droit, aux narines minces, parcourues par de minuscules sillons éclatés, mauvâtres — traître alcool ! —, enfin que le regard était intelligent.

Mᵉ de Sève sourit, et ce fut comme si la Joconde avait soudain entrouvert les lèvres pour dévoiler de toutes petites dents malicieuses.

— Vous teniez donc à m'interviewer ?

— Oui. Vous êtes très en vue ces temps-ci, et la direction du journal m'a commandé un article sur vous. Et, si vous le voulez bien, j'aimerais que vous me parliez des Hell's.

— Vous savez, répondit Mᵉ de Sève, l'air évasif, haussant les épaules, je n'en sais pas grand-chose. Comme vous, comme tout le monde, je ne connais d'eux que les vêtements de cuir, jeans, bottes, chaînes et motos Harley-Davidson, l'uniforme, quoi.

— Vous en portez un, vous aussi, risqua Henri Guillaume en riant.

— Ça, c'est autre chose.

— Pour les défendre, vous en avez donc rencontré quelques-uns.

— Évidemment, mais aujourd'hui, je ne les vois plus comme avant, je les vois comme clients, c'est autre chose, c'est plus…

— ... sympathique ?

— Je ne saurais dire. Tenez, ce briquet, ce très beau briquet ma foi, ils me l'ont offert.

— Vous devez sûrement avoir appris des choses précises ?

— Ils mentent tous. Il n'est pas facile de se faire une idée. Par exemple, un gars soutiendra que l'on voulait sa peau et que, s'il n'est pas mort, c'est qu'il était ailleurs. Le même gars prétendra qu'il est le chef du club et que c'est lui qui donnait les ordres. Comment aurait-il donné un ordre contre lui-même ? En plus, certains ont une intelligence supérieure à la moyenne.

— J'ai entendu dire qu'il y avait un musicien et un écrivain parmi les inculpés.

— L'écrivain, je ne le connais pas. Le musicien a un bon alibi : il donnait un concert lors de cet après-midi de sang.

— De sang ?

— Rouge !

— Vous croyez aux alibis ?

— Ils servent beaucoup plus le ministère public que la défense. Au cours de ma carrière, je les ai utilisés le moins possible. Des mois après l'enquête préliminaire, les témoins ne savent plus si la voiture était bleue ou verte, s'il était midi ou une heure. Vous-même, vous pouvez dire que vous avez déjeuné à votre restaurant habituel tel jour de la semaine, mais tous les habitués interrogés se contrediront. Les alibis s'écroulent aussi facilement qu'ils se fabriquent.

De Sève était en verve.

— ... Ces Hell's sont des êtres à part. Il y en a un, je ne me souviens plus de son surnom, Moineau, je crois, un géant avec des poignets deux fois comme les miens, des mains larges, épaisses à faire peur ; un gars par ailleurs très évolué, possédant un vocabulaire impressionnant et un sens des mots d'une justesse rare. Cet homme vous charme presque en parlant et, tout en vous fixant dans le blanc des yeux, sans effort apparent, casse la chaîne de ses menottes. Un autre, surnommé Houdini, peut en marchant avec d'autres détenus, les chevilles entravées par des chaînes, quitter comme par enchantement ses fers. Voyez, ils ne sont pas faciles à saisir, dans tous les sens du terme.

— Est-il vrai que les clubs de motards sont mêlés à la mafia et au trafic de drogues ?

Le juriste ne répondit pas.

— Ils sont souvent drogués, déments, parfois méga-lomanes. Imaginez, par exemple, ce dénommé God, leur grand chef, je le vois debout devant le fleuve, sur le quai de Saint-Ignace-de-Loyola, le bras tendu, la main ouverte et tel un roi déclarer à haute voix et avec orgueil : « Voici mon cimetière marin. » Rien de moins.

— Vous le connaissez ?

— Non. La police le cherche toujours. Cet homme se croit au-dessus de tout, il prétend être si intelligent que personne ne peut le comprendre. Tuer, pour lui, c'est punir et rendre justice suivant ses lois. Car pour tout arranger, ces messieurs respectent mal leurs propres lois.

— Que savez-vous d'autre ?

— Je ne veux pas en savoir beaucoup. Mon but n'est pas là, il consiste à défendre des individus selon le Code. Cependant, précisa Mᵉ de Sève, je sais encore qu'ils impriment une sorte de journal, jamais au même endroit...

— ... Vous l'avez lu ?

— Il s'agit de nouvelles les concernant. Par exemple, un article informera les membres de la remise en liberté d'un tel, tel jour, telle heure, après avoir purgé tant d'années pour telle raison. D'autres rubriques annonceront qui est mort et de quelle façon, qui fait quoi... Pigez ?

Un silence suivit, que Guillaume mit à profit pour faire compliment à l'avocat de son cadre de vie.

— J'aime cette maison, j'y travaille tous les jours, sauf quand je suis appelé à plaider à l'extérieur, dans les territoires du Grand Nord, par exemple. Je n'aime pas les hôtels. Je vous confie que je n'aime pas coucher seul. Je préfère me blottir contre une femme aimée, rondement ancré à son dos chaudelet.

Le juriste parla de tout et de rien, des coûts d'entretien de sa grande maison, du salaire de la femme de ménage, puis s'écria d'un coup :

— *Harley-Davidson is the best, fuck the rest !*

Leur rire marqua la fin de l'entretien.

— Au fait, demanda Henri Guillaume, pourrais-je avoir une copie du compte rendu de l'enquête préliminaire ?

— Il y en a haut comme ça, précisa l'avocat, levant la main à la hauteur de sa taille. Il n'y a rien là qui pourrait vous intéresser.

— Vous croyez vraiment ?

— Faites-moi confiance. Rien.

— Mais, peut-être que...

— Non, je ne vois rien.

Quand il dit « je ne vois rien », il est probable qu'il voyait tout ; son regard brillait.

— Merci, Maître, répondit Guillaume.

Me de Sève se leva, ajusta sa robe de chambre, tendit une main chaleureuse et ferme.

— Je serai toujours heureux de vous être utile.

Henri Guillaume héla un taxi, songeant aux fabuleux honoraires que Me Jean-Julien de Sève recevait en échange de ses judicieux services, et il se troubla.

— Étrange, se dit-il, que les fruits du crime enrichissent les défenseurs de la justice !

Après avoir déjeuné et bu quelques verres de vin, le journaliste alla au journal écrire le premier article de sa *Chronique des Hell's*. « Avocat depuis trente ans, Me Jean-Julien de Sève défend les Hell's ».

« Lorsqu'il entreprit ses études de droit, Jean-Julien de Sève voulait devenir diplomate, mais le jour où il découvrit combien gagnait un ambassadeur après quinze ans de carrière, il y renonça pour se consacrer exclusivement à l'étude du droit criminel, avec la ferme intention de devenir le meilleur et, à son avis, il n'est pas loin d'avoir réussi.

« Ce n'est pas de la fausse modestie, dit-il. Mais un artiste ne peut monter sur scène s'il n'a pas confiance en lui. »

Cette assurance amène, il la conservera au tribunal, le moment venu de plaider.

« Quand il déambule dans les couloirs du palais de justice, les substituts du ministère de la Justice, les policiers et leurs témoins l'observent du coin de l'œil, subitement muets, pour ne retrouver la parole qu'après son passage. Pourtant, du côté du ministère public, policiers et procureurs n'ont pas à rougir de leurs performances, car les statistiques démontrent qu'ils ont gain de cause dans quatre-vingt-dix pour cent des cas. Mais, face à Me Jean-Julien de Sève, il leur est plus difficile de tirer leur épingle du jeu.

« Au début de sa pratique, il acceptait une cause par jour, parfois deux ou même trois. C'était à l'époque du *gambling*, des preneurs au livre et du jeu. « Presque toutes les causes se réglaient sur des présomptions simples », se souvient Me de Sève. « En général, les accusés plaidaient coupables. »

« Plus tard, l'application plus sévère des lois allait juguler à peu près le problème du jeu illégal, donc donner plus de travail aux avocats de la défense.

« On reproche souvent à Me de Sève de faire traîner les causes. Il n'est pas d'accord : « Par courtoisie envers le témoin, il faut lui expliquer le sens de la question qu'on lui pose. » Du côté du ministère public, on va parfois jusqu'à accuser le juriste de martyriser les témoins, de leur faire subir de véritables tortures psychologiques en contre-interrogatoire.

« Il raconte qu'un jour un policier en est même venu à lever le poing sur lui, alors qu'il démolissait systématiquement son témoignage. « Je ne pouvais pas tolérer ça, explique-t-il. Et j'ai dû signifier au tribunal qu'un policier qui montre le poing en cour n'a sans doute pas la maturité requise pour protéger la société, qu'il pouvait être dangereux de laisser une arme entre les mains d'une telle personne. »

« Depuis quelque temps, Mᵉ de Sève ne plaide plus qu'une dizaine de causes l'an, mais ce sont des causes retentissantes. Être défendu par lui, c'est comme être membre d'un club sélect. Aux yeux de beaucoup, Mᵉ de Sève est le meilleur avocat du Canada.

« Mᵉ de Sève qui affirme : « Pour pratiquer ma profession, je dois avoir avant tout confiance en moi et me répéter, chaque fois que je plaide une cause, que la défense est de droit, l'accusation infâme et la délation abjecte. »

La première chronique fut si bien accueillie que Mᵉ Jean-Julien de Sève fit des envieux. Certains de ses confrères firent des pieds et des mains pour ne pas être laissés pour compte par le journaliste. Il répondait en riant :

— Je n'ai pas reçu mandat de *La Presse* d'écrire des portraits. Si j'ai choisi de parler de Mᵉ de Sève, ma chronique le justifiait. Mais je ne dis pas non, un jour peut-être, si l'occasion se présente.

Mᵉ Roland D. Dagenais en éprouva de l'amertume et, par la suite, il fut difficile d'obtenir de lui des informations, à moins qu'elles ne le mettent en vedette. Quant à Mᵉ Kenneth Wineberg, il se contenta de laisser publier sa photo aussi souvent que possible.

— Une photo vaut mille mots, se réjouissait-il.

Les lecteurs du journal apprirent dans la deuxième chronique que les avocats des Hell's avaient intenté deux actions en dommages et intérêts, pour un total d'un demi-million de dollars, contre le juge et coroner Joseph Quincy-Dumas, la Sûreté du Québec et le procureur général, Mᵉ Nicolas Bélanger. Ils prétendaient la détention de leurs clients illégale.

De Sève déclamait devant les journalistes, superbe :

— Ils ne sont pas accusés, que je sache. Qu'on les accuse ou bien qu'on les libère !

Au cours des semaines qui suivirent, il ne fut plus question que de jurisprudence. Pas moins de huit magistrats durent se pencher sur le dossier, ce qui retardait chaque fois l'enquête du coroner. Un de ces juges reconnut que les rapports du coroner étaient formulés de manière illégale. Un autre juge avoua qu'il n'arrivait pas à suivre la logique de Me de Sève. Un troisième refusa de participer au jeu du chat et de la souris...

« Les avocats des Hell's reviennent à la charge », « Les Hell's réclament la destitution du coroner Quincy-Dumas », « Le coroner reporte son enquête », « Méli-mélo juridique » — tels étaient les titres de *La Chronique des Hell's*.

Quelques jours plus tard, les lecteurs de *La Presse* qui suivaient cette affaire pouffèrent en lisant : « Le juge Joseph Quincy-Thomas a été assigné à témoigner en Cour supérieure au sujet de sa propre enquête ».

Et les témoignages continuaient, tous plus inutiles les uns que les autres, car la loi du silence, la peur des représailles jouaient à fond. Le milieu ultra-fermé des motards ne livrait pas ses secrets comme ça, d'autant plus que nombre d'entre eux avaient déjà quitté le pays. Les Hell's ne connaissaient pas les frontières.

Bref, tandis que défilaient jour après jour à la télévision les mêmes images d'un procès sans chef d'inculpation solide, aux magistrats changeants, avec motards théâtralement enchaînés et policiers équipés style *Guerre des étoiles*, les gens commençaient à douter de leur justice, à se demander, comme l'éditorialiste de *La Presse* : « Les Hell's font-ils la loi au Québec ? »

Au cours de leurs rendez-vous, Henri Guillaume crut que tout se dénouait en apprenant de la bouche de Bastien que René « Sprint » Parenteau, membre du club moto-cycliste des Gitans récemment amalgamé aux Hell's, avait accepté de faire le saut.

— À coups d'annuaire de téléphone sur la gueule ? avait insinué le journaliste.

L'inspecteur-chef avait glissé, précisant seulement que Sprint, vingt-neuf ans, simple recrue chez les Hell's, allait révéler sous serment, lors de son prochain témoignage à l'enquête du coroner, qu'il avait été témoin du meurtre de l'un des motards et qu'il avait lui-même participé à l'inhumation... aquatique des cadavres.

Assis au volant de sa voiture, près du repaire, il avait vu Pierre « Smoke » Richer pourchasser Laurent « Pif » Francœur et tirer cinq balles dans sa direction, puis, un peu plus tard, alors qu'il était toujours de faction au même endroit, la porte du garage avait été ouverte momentané-ment, ce qui lui avait permis d'apercevoir quatre hommes étendus sur le sol.

Lui et un compagnon avaient été chargés d'escorter le corbillard de fortune, un camion-fourgonnette, dans lequel plusieurs sacs de couchage avaient été placés. Il avait reçu l'ordre de détourner, le cas échéant, l'attention des poli-ciers qui auraient pu les suivre. Une fois rendu au quai de Saint-Ignace-de-Loyola, il avait remarqué par la porte entrebâillée une tache de sang d'une cinquantaine de centi-mètres carrés sur le plancher. Puis il y avait eu les cinq plouf !

Henri Guillaume s'étonnait encore, en retournant à la salle de rédaction, de la physionomie de l'inspecteur-chef Clément Bastien lui racontant ces faits. Il semblait soulagé, détendu et il souriait chaque fois qu'il ajoutait un détail.

— Imaginez-vous pourquoi ces Hell's ont été assassinés ? D'après Sprint, les motards du chapitre de Laval buvaient trop et ils étaient constamment «gelés», ce qui jetait du discrédit sur tous les autres chapitres. Il semblerait aussi que le chapitre de Halifax, à la suite d'une transaction avec le milliardaire montréalais de la drogue, Carl O'Burn, ait commis l'erreur de sous-traiter aux membres du chapitre de Laval. Il y aurait eu plusieurs irrégularités. Vous connaissez la suite.

— Vous détenez ce témoin ?

L'inspecteur-chef hésita.

— Je ne devrais pas répondre à cette question. Disons qu'il est libre mais sous notre protection.

On n'entendit plus jamais parler de René Parenteau, sans doute incorporé dans les fondations d'un immeuble du côté de Halifax.

Tout était à refaire.

12

Neige-neige

HIVER DE VILLE ! Horrible hiver, violent et capricieux :
au matin, un ciel domine, si ensoleillé qu'on se croit en
Espagne ; à midi, les vents se mettent à chuchoter sous le
manteau noir des nuages ; l'après-midi, il pleut comme
sous les tropiques, et le soir, le joli miroir du verglas para-
lyse la circulation. La nuit, il neige, il neige sans arrêt, de
semaine en semaine, tout comme les nouvelles concernant
les Hell's ne cessent de tomber :

« La Cour déclare légale la détention de cinq
motards », « Engloutir les cadavres est une manie des
Hell's », « Motards arrêtés en pleine nuit », « Une Hell's de
Halifax passible de prison ».

Hell's, Hell's, Hell's. Au gré des tempêtes et des
accalmies, il n'y en avait plus que pour eux.

À Morin-Heights, l'hiver trouvait tout son sens, sa
pureté naturelle, et faisait de l'endroit comme une enclave
du paradis.

Depuis des semaines, le Pape restait cloîtré, de plus en
plus silencieux et sauvage, partageant son temps entre la
lecture des journaux, l'écoute obsessionnelle de *La
Bohème*, les cuites mémorables et orgiaques avec Mimi,

les crises soudaines d'angoisse et les moments d'euphorie. Un jour, il ne parlait plus que de ses problèmes d'argent. Un autre jour, il n'était question que d'un éventuel manque de drogue. Il songea aussi à tuer tous les membres des Hell's qu'il connaissait pour prouver qu'il était toujours le Pape.

— Je te le dis, Mimi, Pape un jour, Pape toujours ; Hell's un jour, Hell's toujours !

Les grands champs, les beaux arbres, les magnifiques sentiers couverts de neige, le silence bienfaisant, les nuits étoilées, le feu dans la cheminée, la soumission de Mimi à tous ses caprices, à toutes ses humeurs, la présence des enfants qui étaient sages (comme des anges), rien ne distrayait plus le Pape. Il se sentait comme derrière les barreaux d'une prison.

Un soir, au coin du feu, buvant vodka sur vodka, il sortit de ses gonds.

Chocolat en prit pour son grade, la pauvre, lors d'une dispute insensée.

— Je déteste les Noirs, criait-il, vociférant une litanie de sacres, je déteste tout ce qui n'est pas blanc.

— Écoute, répliqua Mimi, essayant de le calmer, la couleur de la peau n'a rien à voir avec la couleur de l'âme. Chocolat est une fille formidable. Elle éduque les enfants mieux que je ne saurais le faire. Elle est d'une douceur, d'une patience ! Elle est toujours de bonne humeur, toujours dévouée. C'est un être exceptionnel !

— Le chocolat, hostie, je le mange. Comprends-tu ce que je veux dire ? Je vais la manger ! Une Africaine, ça se mange !

— Cannibale ! Elle n'est même pas Africaine, elle est Haïtienne.

— C'est pareil. Elle est noire.

—Raciste! Tu n'es qu'un raciste! Tu devrais lui embrasser les pieds, à elle qui te sert sans jamais rouspéter.

—Elle me sert parce qu'elle est payée pour ça! Elle sera toujours une sale négresse. Elle pue!

—C'est toi qui pues. Sais-tu que, pour les Noirs, tous les Blancs sentent la mort! Si Chocolat savait qui tu es, elle s'enfuirait à toutes jambes.

Le Pape imita la domestique:

—Monsieur Veillette, est-ce qu'il voud'ait une aut'e vodka, par hasa'd. Monsieur Veillette...

—Je ne veux plus t'entendre!

—Ce qu'il fait beau aujou'd'hui, hein, monsieur Veillette, la neige est toute blanche et je suis t'es heu'euse de vi've dans cette belle maison avec les beaux enfants de Mme Mimi.

—Tais-toi! Tu es ignoble! Tu me dégoûtes! Je ne t'aime plus! Je ne t'ai jamais aimé. Tout ce que je disais, ce n'était que du cinéma. J'avais peur, voilà, oui, j'avais peur que tu me tues, comme tant d'autres, pour de l'argent, pour rien, pour le plaisir.

Le Pape dégaina son revolver d'un geste rapide et fit feu dans la cheminée. La balle frôla la tête de Mimi et ricocha sur une pierre qui se désagrégea.

—Es-tu fou?

—Oui, je suis fou. Tu vois, j'aurais pu te descendre et en faire autant avec Chocolat et tes petits monstres.

—Tu n'en es pas capable.

Le Pape, enragé, se leva, empoigna Mimi par le cou, l'immobilisa et lui appuya le canon de l'arme sur la tempe.

—Je ne peux pas? Je n'ai qu'à appuyer sur la gâchette et ta cervelle ne s'en rappellera même pas.

Mimi ne bougea pas. Elle le regarda dans les yeux, au plus profond qu'elle pouvait encore l'atteindre, et ses larmes coulèrent. Le Pape relâcha son étreinte et rengaina son arme.

— Je ne te tuerai pas. Je ne tuerai pas Chocolat ni les enfants. Je ne tuerai plus.

Surprise par la détonation, Chocolat, tout apeurée, fit irruption dans le salon.

— J'ai entendu un b'uit ét'ange, monsieur Veillette ! Vous pleu'ez, madame Mimi ? Est-ce que je peux fai'e quelque chose ?

Ils la congédièrent.

Mimi pleura, blottie dans les bras d'acier du Pape qui lui mouchait le nez, lui essuyait les yeux et la berçait, troublé.

— Je suis prisonnier de mon propre piège. C'est sans solution, Mimi.

— Non, non, disait Mimi, il y a une solution, je sais qu'il y en a une.

— Laquelle ?

Elle s'échappa de son étreinte, alla se servir une coupe de champagne et rafraîchir la vodka du Pape et, frondeuse, sûre d'elle, déclara :

— Si tu promets de rester calme, de ne pas faire de conneries, je vais te dire à quoi je pense depuis des semaines.

— Je t'écoute, répliqua le Pape en se rasseyant face à la cheminée où les bûches se consumaient en crépitant.

Mimi s'assit à ses pieds sur la peau d'ours, jambes écartées, les bras derrière le dos, la poitrine provocante sous sa camisole en dentelle de coton.

— Je ne sais pas si tu vas aimer ce que je vais te dire, mais il le faut.

— Je t'écoute, dit le Pape, sauf que comme tu te présentes, je préférerais faire autre chose.

— Écoute d'abord, on verra après. Je vais quitter les enfants et les confier à Chocolat.

— Hostie ! Ce sont tes enfants.

— Ce sont aussi ceux de Crash !

— Je t'ai déjà dit de ne plus prononcer ce nom-là.

— C'est un fait : ce sont ses enfants et non les tiens... Il ne s'agit pas de ça. Je ne veux plus vivre ici, isolée comme une carmélite. Je meurs à petit feu. J'ai ma vie à vivre et ma vie, c'est la danse, c'est la scène. Rien d'autre, rien d'autre.

— Quand tu auras quarante ans, tu m'en donneras des nouvelles.

— Quand j'aurai quarante ans, j'aurai quarante ans, chaque chose en son temps. Aujourd'hui, j'ai décidé de retourner sous les projecteurs. J'ai le *show* dans le corps et je vais chauffer, quoi que tu dises, quoi que tu penses. Et toi, tu vas balancer ce que tu sais à la police.

— Un mouchard, hein ?

— Appelle ça comme tu voudras. Tu dois raconter tes exploits aux policiers comme tu me les a déjà racontés. Tu les tireras d'un sacré pétrin.

— J'y avais songé. Seulement, il y a un problème, je n'ai pas confiance en eux. Je me méfie autant des incorruptibles que des véreux. Il y a bien ce journaliste...

— Qui ça ?

— Guillaume, le gars de *La Presse*. Ce type me plaît et, au vu du contenu de ses articles, il est clair qu'il a des antennes chez les flics.

— Alors, qu'est-ce que tu attends ?

— C'est décidé. Je liquide le manoir et je le contacte.

Dans la foulée, ils entreprirent de fêter l'événement. Ce furent des agapes noyées dans l'alcool et enfumées au point que ni lui ni elle ne purent s'en souvenir.

— Est-ce que je t'ai fouetté ?

— Est-ce que je t'ai sodomisée ?

Leurs questions, au réveil, n'eurent pas de réponse. Ils avait complètement perdu la tête. Mais ce qui avait été décidé la veille fut fait.

Chocolat et les enfants prirent le chemin de Montréal, suivis de Mimi qui fût chargée de vider le manoir de la quasi totalité de ses meubles. Le Pape refusa d'assister à leur départ et se réfugia dans la grange où il s'exerça au tir.

Quand il revint, au début de l'après-midi, il trouva les lieux déserts, sans vie. Il se servit une vodka et alla s'asseoir sur une chaise droite à côté du téléphone. Il posa ses pieds bottés sur le rebord de la fenêtre, regardant le paysage sans le voir. Il resta ainsi un long moment, puis l'air hautain, goguenard, décrocha le combiné.

La première émotion passée, Henri Guillaume entra dans le vif du sujet :

— Qu'est-ce que vous voulez en échange, Veillette ?

— La paix.

— Mais encore ?

— La protection.

— Ensuite ?

— Une nouvelle identité.

— Et quoi d'autre ?

— Nous négocierons. Ton Bastien qui pédale dans la merde comme un aveugle n'a rien à perdre mais une belle promotion à gagner. C'est l'État qui paye !

Deux heures plus tard, les pneus de la voiture de Guillaume crissaient sur le gravier répandu devant le manoir du Pape. Il allait falloir jouer serré.

Bastien attaqua :

— Te voilà, le Pape ! Tu as des choses à me dire ?

— Doucement, le marsouin, si tu veux rester mon invité.

L'entretien du Pape et de l'inspecteur-chef dura plusieurs heures mais, avant de conclure un marché, ce dernier dut en référer à l'autorité suprême, le procureur général et ministre de la Justice, qui donnèrent le feu vert, acceptant sans restriction les conditions du délateur.

Le Pape, à lui seul, apportait, preuves à l'appui, de quoi redonner son souffle au *Sirocco*.

Les semaines qui suivirent parurent longues à Guillaume car, depuis que le Pape s'était livré, l'inspecteur-chef se faisait plus avare d'informations et se montrait d'une discrétion et d'une prudence inhabituelles.

— Attendez, disait-il à Henri Guillaume, je vous donnerai bientôt un scoop.

Enfin, le Pape comparut devant la Cour des sessions de la paix. Il plaidait coupable face à quarante-trois accusations d'homicides involontaires. Rien de moins.

Dans la salle d'audience chauffée à blanc, bondée d'agents de l'escouade tactique, Me Jules Boudrias, procureur en chef adjoint du ministère public, s'écria, théâtral :

— Est-ce que quelqu'un a vraiment pu commettre quarante-trois homicides « involontaires » au cours des dix dernières années ? Non, Votre Honneur, selon moi, il s'agit, sans l'ombre d'un doute, de meurtres prémédités ou, tout au moins, de meurtres simples, crimes pour lesquels le Code pénal prévoit la perpétuité. Cependant, dans le cas qui nous concerne, la décision appartient au ministère de la Justice et seul le témoin et accusé peut en l'occurrence aider la justice à élucider la tuerie de Lennoxville et bien d'autres affaires restées mystérieuses...

Les témoignages du Pape valaient de l'or. Sa collaboration signifia pour commencer une condamnation à vie, mais il était en fait admissible à une libération conditionnelle dans neuf ans. Officiellement, de plus, il obtint le privilège d'être détenu dans une cellule individuelle à l'abri des règlements de comptes. Il y jouissait de tout le confort possible : téléphone, télévision couleur, magnéto- scope, chaîne stéréo et même argent de poche.

Tels étaient les avantages de ces négociations devant la Cour des sessions de la paix suivant une procédure par- ticulière appelée *Plea Bargaining*. En quelque sorte une parodie de justice où ce qu'il apportait valait au délateur toutes sortes d'avantages.

Henri Guillaume avait du pain sur la planche. Il passa des heures à téléphoner aux procureurs, aux avocats, à l'inspecteur-chef, bref à tous ceux qui pouvaient l'aider à écrire son prochain article intitulé « La légende du « Pape » Paul Veillette ou le *Plea Bargaining* ».

On y lisait entre autres :

« La confession du Pape ne servira pas de preuve contre lui et, en vertu de la *Charte canadienne des droits et libertés*, son témoignage devant un tribunal ne pourra être plus tard transformé en preuve incriminante. Le délateur, au Canada, ne jouit pas d'une aussi grande immunité qu'aux États-Unis, mais il peut obtenir plusieurs faveurs et passe-droits. Selon Me Jules Boudrias, les voyous auxquels nous accordons des faveurs nous aident, en échange, à condamner d'autres voyous. Les délateurs que nous déte- nons dans une aile spéciale de la prison Parthenais fournis- sent aux policiers et au ministère public des renseigne- ments précieux, voire les preuves qui manquent souvent à leurs dossiers.

« Le Pape a été, pendant plus de quinze ans, le meil- leur tueur à gages de son milieu, touchant des sommes variant entre cinq mille et cent mille dollars pour chacun de ces quarante-trois meurtres avoués, commis depuis 1971. Il avait le don de ne pas laisser d'indices. Selon l'inspecteur-chef Clément Bastien, la police ne pouvait soumettre au ministère public aucun élément de preuve pouvant incriminer le délateur dans une seule des quarante-trois causes en question.

« Les déclarations du Pape permettent de boucler nombre de dossiers, dont certains ouverts depuis quinze ans. »

Et quelle économie de temps, de travail et d'argent !

« Toujours selon Me Boudrias : « S'il n'y avait pas de *Plea Bargaining*, notre système judiciaire ne fonctionnerait pas, car si nous devions instruire d'un bout à l'autre un procès pour chaque cause, nous n'aurions pas assez de juges et de salles d'audience. » Me Frank Overdale, avocat de la défense, estime quant à lui que, « sans le *Plea Bargaining*, il faudrait attendre sept ou huit ans pour qu'une cause soit entendue au tribunal. Plus le temps passe, plus la preuve s'éclipse. Les témoins oublient les détails ou disparaissent dans la brume ». Quant à Me Jean-Julien de Sève, il soutient que certains juges s'opposent au *Plea Bargaining* par pure vanité, car, si deux avocats opposés réussissent à conclure une entente hors cour, en présentant un plaidoyer de culpabilité et en suggérant une sentence commune, le juge croit perdre un peu de son importance. »

Et le Pape de rire comme un fou confortablement installé dans sa cellule privée. Il buvait autant de vodka qu'il en désirait, il mangeait à volonté italien ou chinois. Que lui importait tout ce que les médias colportaient à son sujet et la polémique qui faisait rage à travers la presse sur le bien-fondé du *Plea Bargaining*. Il avait été digne de sa tiare et il la portait, invisible, avec ostentation.

Mieux que quiconque, il savait que les avantages qu'on lui accordait, à lui comme aux autres délateurs qui avaient suivi son exemple, Mike Water en particulier, étaient proportionnels à l'importance de ses révélations et aux dangers auxquels ils s'exposaient tous.

Pendant ce temps, à l'intérieur même de l'administration, on prenait position pour ou contre le *Plea Bargaining*.

L'inspecteur-chef Bastien dut y aller de son message public :

« Il est faux de dire que notre indicateur se soûle aux frais de l'État ou mène la vie de pacha au bras de jolies filles. Loin de là. Ce ne sont que des allégations de journaux à sensation.

Nonobstant les déclarations de l'inspecteur-chef, Me Jules Boudrias y allait des siennes : « Un recours excessif aux délateurs est en train de pourrir la justice. Les clients des avocats sont les victimes de la délation. Il y a des individus, comme le Pape, qui se reconnaissent coupables des crimes les plus crapuleux et les plus abominables et ce sont eux qui aident à condamner des gens que notre système juridique doit, en principe, tenir pour innocents jusqu'à preuve du contraire. Il ne s'agit plus d'obtenir des renseignements, mais des preuves incriminantes. Il se pourrait même que ce « Pape » en rajoute afin d'obtenir certains privilèges. Il ne faut pas confondre police et justice. C'est ainsi que l'absurde touche à son zénith, quand le passé d'un criminel que l'on absout et protège est de loin plus chargé que celui d'un prévenu que l'on tente de condamner. Au train où vont les choses, nous sommes en voie de béatifier les criminels. Plus graves sont les crimes, plus les chances d'immunité augmentent.

« Ce recours aux délateurs est dangereux et coûte une fortune aux citoyens paisibles, payeurs de taxes. Trente mille dollars dans un cas, vingt-cinq mille dans un autre et, le comble, cent mille dollars versés à un criminel de la Colombie-Britannique pour connaître l'emplacement des cadavres de ses victimes. Ces délateurs ne feraient pas de vieux os s'ils étaient en prison, sous le régime normalement réservé aux détenus. Mais, auxiliaires zélés, ils peuvent obtenir une nouvelle identité, des soins de chirurgie plastique qui les rendent méconnaissables et ils sont logés aux frais des mêmes contribuables dans des cellules douillettes au quatrième étage de la Sûreté du Québec, rue Parthenais, à Montréal. »

Lorsqu'il s'installa à son pupitre, face à son ordinateur, pour rendre compte des derniers événements, Henri Guillaume hésita sur les informations qu'il pouvait livrer, se considérant soudain comme une sorte de délateur public, un indicateur attitré. Finalement, il fouilla dans son porte-documents, en retira le magazine *Sûreté* que lui avait donné Clément Bastien. Il en fit un résumé conforme à la tolérance moyenne des lecteurs, tout en ignorant l'utilisation juridique qu'allait en faire Me Jean-Julien de Sève.

13

Le salon de la moto

CE SOIR-LÀ, Clément Bastien et Henri Guillaume, s'étant donné rendez-vous, allèrent boire quelques verres au Bistrot Saint-Denis. Si Guillaume était plutôt épuisé, Bastien était en pleine forme et, radieux, raconta au journaliste la bonne nouvelle : le pourvoyeur du lac Saint-Pierre acceptait enfin de retaper une de ses cabanes pour la lui louer aussi longtemps qu'il le désirerait contre un loyer modeste.

— Le plus bel endroit qui soit pour prendre ma retraite. J'y vais deux ou trois fois par année. Nous ne sommes pas des amis, mais nous sommes sur la même longueur d'onde. Il aime la paix, j'aime la paix ; il adore la nature, j'en raffole. Il est silencieux, solitaire, je le suis depuis toujours. Imaginez comme cela va être merveilleux, vivre dans une maison d'une taille idéale, composée d'une grande pièce de séjour, d'une chambre à coucher, d'une cuisine élémentaire, mon cher Watson, et d'une salle de bains tout confort. Je ne demande rien d'autre.

— Je ne connais pas cette pourvoierie, s'excusa le journaliste.

— C'est à côté de Saint-Ignace-de-Loyola.

— Je sais, mais je n'y ai jamais mis les pieds. Moi, la chasse…

— Il ne s'agit pas de chasse ! J'y vais pour le paysage — les îles, les oiseaux, les canards, la forêt, les longues promenades, les excursions en barque et, surtout, pour la beauté du fleuve. Tous les gens devraient vivre en bordure du fleuve.

— Si je m'écoutais, je serais toujours en voyage. Je vais vous avouer que je rêve d'une maison mobile que j'aménagerais à même un autobus ou un gros camion. Je dois avoir du sang tsigane !

— Il y aura toujours des nomades et des sédentaires.

— Et quelle autre bonne nouvelle ? demanda Henri Guillaume.

— Mike Water s'est mis à table lui aussi. Avec Albert « Bert » Bertrand et Michel « Moto » Lacombe. Le Pape aura donné l'élan. Il est vrai qu'il en a déjà tellement révélé. Maintenant, les Hell's inculpés sont grillés.

— Ne vendez pas la peau de l'ours, inspecteur.

— Attendez un peu le déroulement des procès, c'est dans la poche.

— *Des* procès ?

— Évidemment ! Il n'y a pas un juge qui accepterait d'entendre tant de témoins au cours d'un seul procès. Nous recherchons encore huit gars en fuite dont Gaston « God » Godbout, Antoine « Tony » Lacombe, Pierre « Smoke » Richer, Denys « Menace » Fortier, et d'autres moins connus. Ils ont pris le large et je ne serais pas étonné que la police de Paris, Londres ou ailleurs, qui possède leurs signalements, leur mette la main au collet. Ces motards ont des amis partout dans le monde. Un autre verre ?

— Non. Pardonnez-moi, mais ras le bol de cette affaire, ras le bol de ma chronique, ras le bol de titrer tous les jours à la une : « Un 19e Hell's comparaît », « Quatre autres Hell's cités », « Du sang sous les tuiles », « Les Hell's resteront en prison », « Jean « Cigare » Miron présidait à Lennoxville », « Le coroner n'en finit pas avec Mike Water ». De quoi vomir, bordel ! Si je pouvais, je mettrais mon rêve à exécution : je construirais ma maison mobile.

— Ne faites pas ça, il y en a de magnifiques toutes prêtes à prendre la route.

Les deux hommes échangèrent quelques blagues et se quittèrent en prenant rendez-vous, même jour, même heure, la semaine suivante.

Henri Guillaume rentra chez Evanelle. Enfin, il pouvait souffler. Dès qu'ils étaient réunis, une sorte de magie se produisait ; elle oubliait tous ses maux, lui sa fatigue. Assis à table, dégustant un osso-buco, ils échangeaient les détails de leur journée.

— Nous devrions sortir dimanche prochain, proposa-t-elle. Il y a un salon de la Moto au Palais des congrès.

— Hé ! Hé ! Hé ! gloussa Henri Guillaume. Voulez-vous bien me dire ce que vous voulez y faire ?

— Voir les motocyclettes !

— Et après ?

— Eh bien ! Comprenez-moi, je rêve depuis ma jeunesse d'une balade en moto, mais cela ne se faisait pas, c'était interdit aux filles. Oui, précisa Evanelle, une moto avec une nacelle.

— Une nacelle ?

— Un *side-car*, comme on dit aujourd'hui.

— Non mais ça ne va pas ? Vous imaginez-vous à votre âge assise dans une nacelle ?

— Je m'y vois très bien, me laissant promener sur une petite route de campagne.

Henri Guillaume riait à en pleurer, n'osant avouer qu'il associait la nacelle de la vieille dame à un landau de bébé. Evanelle était tout excitée.

— Il y aura autre chose à voir au salon.

— Quoi donc ?

— Il y aura des Hell's.

— Comment le savez-vous ?

— J'ai entendu à la radio qu'ils avaient loué deux stands.

— Incroyable ! Ce que ces gars-là peuvent être culottés !

— Autre chose encore.

— Bordel ! Vous êtes intarissable, ce soir.

— Cette année est le centième anniversaire de la première Harley-Davidson.

Henri Guillaume faillit s'étouffer en avalant la gorgée de vin qu'il venait de boire et, après avoir repris son souffle, répéta : « Bordel ! Vous êtes renseignée, vous ! »

— Je ne suis pas journaliste, mais moi, je m'intéresse à tout, précisa-t-elle, joyeuse et fière.

— Nous irons dimanche. Tandis que vous admirerez les motos, j'en profiterai pour interroger des Hell's.

— Oh ! Oh ! Jeune homme, tu devrais faire attention.

— Pourquoi donc ? Quand je me serai identifié comme journaliste à *La Presse*, ils me reconnaîtront. Croyez-vous qu'ils ne lisent pas mes chroniques ?

— Sans doute, mais il n'est pas dit qu'ils les apprécient pour autant !

— Je leur fais presque tous les jours une publicité du tonnerre.

— Tu as peut-être raison.

— Puisque je vous le dis. Ils aiment être photographiés, filmés. Saviez-vous qu'à Burlington, la police offre aux suspects la possibilité d'enregistrer leurs déclarations sur magnétoscope ? Tenez-vous bien, seulement 4 pour 100 ont refusé de répondre aux questions devant les caméras. Parmi ceux qui ont accepté, 60 pour 100 ont fait des aveux les incriminant.

— C'est possible. Nous verrons dimanche comment ils réagiront avec toi.

Il y avait foule, ce dimanche, au Palais des congrès ; une foule bizarre composée d'hommes barbus jouant les durs, roulant les épaules, machos vêtus de jean moulant mettant leur sexe en évidence. Ils étaient accompagnés de jeunes anorexiques blondes au teint pâle vêtues de veste de cuir à franges, chaussées de bottes à talons hauts, sûres d'elles parce que se sentant protégées. Et ces gens déambulaient d'un stand à l'autre en suivant leur gobelet en plastique rempli de bière.

Chewing-gum à la bouche ou cigarette aux lèvres, ils allaient, touchant à tout comme pour vérifier si les motocyclettes BMW, Kawasaki, Honda, Harley-Davidson, Suzuki, Ninja et Yamaha étaient réelles. Cette foule à effrayer un non-initié se composait d'autres individus : vrais connaisseurs, collectionneurs avertis, curieux, couples âgés ou enfants en liberté qui couraient partout et s'en donnaient à cœur joie, frissonnant d'émotion ou sidérés devant les numéros d'acrobatie et autres attractions époustouflantes qui animaient le salon.

Quel salon ! Quel palais ! Il aurait mieux valu dire quelle boîte à beurre que cet immeuble sans style et sans âme, sorte de cube vide prêt à recevoir toutes les manifestations, foires, galas et autres salons qui se succédaient en ses structures grises et tristes comme la pauvreté.

Là, un couple regardait complaisamment et applaudissait leur petite fille de cinq ou six ans qui se trémoussait sans équivoque, assise sur la selle d'une Kawasaki rouge, le regard vague et perdu, en criant de plaisir. Deux Allemands discouraient accroupis devant une BMW qu'ils inspectaient avec une admiration et une fierté turbulente, évoquant des faits et des noms dont ceux de Daimler, Maybach, Hildebrand et Wolfimiller.

Il n'y avait pas un seul endroit où le regard scrutateur d'Henri Guillaume se posât sans qu'il s'étonne. Il détestait la foule. En vérité, ce qu'il y avait de plus beau dans ce salon était les motocyclettes rutilantes, leur design dernier cri, leurs chromes étincelants, leurs cylindres synonymes de puissance, griserie, danger, victoire et mort. Le rêve sur deux roues !

D'autres stands présentaient des revues, magazines spécialisés, vêtements, accessoires. Même la Chapelle chrétienne évangélique avait un pavillon sur place, on y distribuait des tracts et on y vendait des bibles. À un autre endroit, un jeune homme sale et barbu, laid à effrayer un Hell's pas beau, essayait à l'aide d'un porte-voix d'enterrer les décibels des enceintes qui crachaient du *heavy rock*. Il vociférait des incohérences :

— Jamais non plus, on n'a vu singe ni guenon entrer le soir tard, soûl comme un cochon, ou faire passer les autres de vie à trépas, avec bâton, fusil ou je ne sais quoi.

Un peu plus loin, il y avait le stand de l'Association internationale des motocyclistes chrétiens affichant la liste de ses huit cents affiliés. Plus visibles parce que revêtus de leur beau costume bleu, quelques membres du club des motocyclistes les Blue Knights discutaient avec les gens, distribuaient des dépliants et recrutaient. Ce club regroupait en majorité des policiers de tous les corps, leurs compagnes ainsi que d'autres amoureux du motocyclisme qui essayaient d'imposer leur présence pacifique sur les routes. Ils étaient tout le contraire de l'image projetée par les Hell's et autres clubs habituels de motards, et incarnaient la politesse, les bonnes manières, la civilité, le respect du code de la route, la serviabilité envers les automobilistes en panne.

Henri Guillaume se présenta à l'un d'eux, un homme corpulent qui tenait une petite femme magnifique par les épaules. Ils échangèrent quelques mots.

— Je lis votre chronique, confessa, rieuse, la petite dame qui se blottissait dans les bras du Chevalier bleu. Vous devriez nous rencontrer pour rédiger un article sur notre club. Cela serait si différent. Vous savez, il y a des milliers et des milliers de motocyclistes qui ne tueraient pas une mouche.

Soudain, Henri Guillaume remarqua qu'un homme le filmait à la vidéo. Il prit congé du couple en se sauvant presque, entraînant Evanelle qui ne le quittait pas d'une semelle.

Étourdie par cette foule angoissante et bruyante, elle ne l'avoua pas, mais elle se sentait prise d'un malaise qu'elle ne put préciser, car elle l'éprouvait pour la première fois de sa vie.

— Si nous nous en allions ? suggéra-t-elle. Je voulais surtout admirer les motocyclettes, je ne m'étais pas imaginé qu'il y aurait tant de monde.

— Dans quelques minutes, répondit Henri, le temps de prendre quelques photos et de saluer les Hell's.

Ils se frayèrent un chemin dans la foule et parvinrent finalement devant les deux stands dont les parois avaient été tapissées d'une énorme affiche où des caractères gothiques peints en rouge et noir annonçaient : «*Angels — The Big Red Machine*».

Plusieurs motocyclettes Harley-Davidson, certaines modifiées, faisaient honneur au centième anniversaire de la marque. Elles étaient protégées du public par des barricades. Sur l'estrade qui surplombait les engins légendaires, se tenaient côte â côte, parés de leur costume, c'est-à-dire veste sans manche, blouson de cuir, chandail imprimé au nom du chapitre, des membres des Hell's venus de Vancouver, Halifax, Angleterre, Hollande ; à croire qu'il s'agissait non pas du salon de la Moto, mais du congrès international des Hell's.

Henri Guillaume, Evanelle accrochée à son bras, monta sur l'estrade et se présenta à un jeune homme de même taille que lui, ce qui le rassurait, lui demandant s'il pouvait prendre des photos pour *La Presse*.

— Va donc jouer ailleurs, se fit-il répondre.

Mais un géant d'une effrayante maigreur, les traits taillés à la hache, avait entendu et s'approcha du couple hétéroclite formé par Henri et Evanelle qu'il regarda du haut de ses deux mètres :

— Efface, ordonna-t-il au rouquin qui ne semblait pas comprendre, tu ne sais pas que tu parles au journaliste de *La Presse* !

Le petit homme haussa les épaules et alla rejoindre les autres membres. Le géant salua Evanelle en courbant la tête et broya la main du journaliste en la secouant chaleureusement :

— Vous pouvez prendre les photos que vous voulez, seulement j'aimerais que vous écriviez autre chose que ce que vous racontent les avocats et les policiers. Vous êtes intelligent, alors faites donc un petit effort pour ne pas mettre tous les Hell's dans le même sac. Il y a le un pour cent, mais les autres quatre-vingt-dix-neuf pour cent, ça compte !

— Je rapporte ce que je sais, bégaya presque Henri Guillaume, mais jusqu'à maintenant, pas un seul d'entre vous ne m'a contacté pour me donner sa version des faits.

— Nous avons une consigne.

— Alors, de quoi vous plaignez-vous ?

— Hé ! Hé ! ricana le géant, et votre dernière chronique copiée dans le magazine *Sûreté* ? De la pure invention, sortie de la tête d'un policier obsédé sexuel. Imaginez le nombre de lecteurs qui vous ont cru ! Cette chronique nous a discrédités une fois de plus.

— Libre à vous de rectifier. Vous n'avez qu'à venir au journal, ou me rencontrer ailleurs. Je suis prêt à vous entendre, vous ou n'importe quel Hell's. À vous de jouer.

Au même instant, la musique fit place à un inquiétant silence. Quelques secondes s'écoulèrent. Une voix tonitruante ordonna :

— Que personne ne bouge ! Restez calmes !

Vingt hommes surgirent, armés jusqu'aux dents. Des colosses bottés, casqués, mitraillette en main. Avec une rapidité incomparable, une efficacité étonnante, ils envahirent le stand des Hell's et encerclèrent, sans qu'il ait eu le temps de réagir, le géant qui s'entretenait avec Henri Guillaume, qui prit le bras d'Evanelle et l'entraîna vers la sortie la plus accessible.

Aussitôt dehors, ils montèrent dans le premier des taxis stationnés en attente. Il faisait nuit déjà. La neige tombait mollement, mouillée et gracieuse.

— Ritz, s'il vous plaît, monsieur.

Et, s'adressant à Evanelle Ampleman, tout souriant, il dit :

— Cette journée mouvementée vaut bien quelques huîtres, un homard et des profiteroles au chocolat, n'est-ce pas ? Je vous avoue que de ma vie je n'ai rencontré réunis

sous un même toit, dans une même cage, autant de
demeurés. Et pourtant, au cours de ma carrière, j'en ai vu
des rassemblements humains ! Je n'y peux rien : il faut dire
que j'ai horreur des foules, quelles qu'elles soient !

Elle essuya une larme qui lui embuait la vue :

— Et toute cette fumée !

— Vous voulez que j'éteigne ma cigarette ?

— Non, ça va maintenant.

Elle prit sur elle-même, apaisa son vieux cœur qui
cahotait et elle sut en une fraction de seconde, si effroyable
qu'elle en trembla, que le goût de la vie venait de la quitter.

Assise au restaurant du Ritz, elle but un xérès, mangea
une huître, une pince de homard, une profiterole et ne
dédaigna pas le Constantin : un mélange de Cointreau, de
vodka et de rhum blanc en égales parts servi sur glace dans
un verre ballon qu'elle prit dans ses deux belles mains qui
tremblaient, agitant ainsi naturellement les liqueurs aux
effets euphorisants.

— Connaissais-tu le géant à qui tu parlais ?

— Non ! Je le rencontrais pour la première fois. Si j'ai
bonne mémoire visuelle, je crois qu'il s'agissait de Guy
« Sugar » Gascon, de Lennoxville, recherché depuis belle
lurette.

— Il avait l'air gentil, tu ne trouves pas ?

— Il a été poli, c'est toujours ça, mais après avoir vu
avec quelle force les agents de l'escouade tactique l'ont
arrêté, j'ai l'impression qu'ils ne partageaient pas votre
opinion.

— Évidemment ! Je crois que les policiers sont aveu-
glés par cette affaire et qu'ils voient des Hell's derrière
chaque veste de cuir et sur chaque motocyclette. Il existe
au moins cent mille motocyclistes au Québec. Ils ne sont
sûrement pas tous moins purs que les policiers ou les jour-

nalistes ! Toi que je connais depuis plus de vingt ans, tu sais, je t'ai toujours trouvé un côté ange et un côté diable. Ton inspecteur-chef ne doit pas échapper à la règle.

— Et vous ?

— Moi ? Je suis un ange, c'est évident ! Là n'est pas la question. Je me demande si, à la longue, cette affaire criminelle ne tournera pas en queue de poisson. Le temps falsifie le temps. Chaque instant meurt à l'instant. Jeune homme, la tuerie de Lennoxville importera-t-elle dans cent ans ?

— Vous avez raison, trinquons ! Toujours ça que nos descendants n'auront pas.

Le lendemain, Evanelle s'installa à la table de la salle à manger et consulta les brochures qu'elle avait récoltées la veille au salon de la Moto. Une heure plus tard, elle passait à l'action et commandait une motocyclette de marque BMW avec nacelle, fauteuil en cuir, air climatisé, radio et autres accessoires.

— Je vous paierai quand vous la livrerez.

— Vous ne pouvez pas en prendre possession vous-même, madame ?

— Oh non, rit-elle, ce n'est pas pour moi, c'est un cadeau que je fais. Vous n'avez qu'à envoyer un de vos vendeurs. Je vais lui donner un chèque.

Une heure plus tard, le vendeur repartait chèque en main, tandis qu'Evanelle s'empressait de nettoyer le garage à grands coups de balai, heureuse d'offrir un cadeau aussi inattendu à son cher Henri et de réaliser un de ses plus vieux désirs.

Elle s'imaginait assise dans la nacelle, chaudement emmitouflée dans un grand manteau de chat sauvage, coiffée d'un casque de motard, gantée, bottée, grisée par la vitesse, comme Henri Guillaume qui conduisait la moto sur une belle route sinueuse des Cantons de l'Est.

Appuyée au manche de son balai, elle rêvait, sourire aux lèvres, les paupières closes, vivant par la magie de son imagination un instant de bonheur. Mais cela ne dura pas, car elle se sentit reprise, comme la veille, par la douloureuse étreinte de l'éphémère.

14

Hell's un jour, Hell's toujours

De procédures en procédures, de tracasseries judiciaires en tracasseries judiciaires, l'affaire des Hell's
approchait du dénouement que le public attendait avec
impatience et une curiosité, morbide pour les uns, ven-
geresse pour d'autres. Parmi ceux qui étaient impliqués
chacun répétait son rôle : témoins, accusés, juges, policiers.
Mᵉ Jean-Julien de Sève, par exemple, s'étourdissait dans le
dédale de la jurisprudence, avant de retrouver inéluctable-
ment son équilibre.

Certes, de Sève parcourait les journaux, mais d'un œil
critique. Il en savait tellement plus que les journalistes dont
il se méfiait.

Il lisait :

« Est-il exact que l'État compte verser dix mille dollars
par an dans un compte en fidéicommis à Paul « le Pape »
Veillette, le délateur qui a reconnu quarante-trois meurtres ?
Est-il exact qu'à ces dix mille dollars s'ajouterait notamment une allocation hebdomadaire d'un montant de trente-
cinq dollars pour le seul achat de cigarettes ? Est-il vrai que
le Pape bénéficie de conditions de détention exception-
nelles, au quatrième étage de la prison de Parthenais ? »

« Est-il exact que je m'appelle Jean-Julien de Sève ? »
demanda-t-il à voix haute aux miroirs biseautés de son
salon.

Et Henri Guillaume rédigeait ses chroniques.

Et Mimi dansait.

Et les gens en avaient ras le bol comme il convient
quand le mois de mars s'éternise et charrie dans ses eaux
fondantes les lassitudes, la déprime, les névroses d'un
interminable hiver.

Et le Pape survivait en sa confortable cellule, attendant
l'intervention chirurgicale qui allait lui redonner la liberté.

Un matin, il revêtit sa veste pare-balles et, escorté par
quatre détectives, fut conduit à la clinique du docteur
Donna Panisset.

La première impression du Pape, lorsqu'il eut pénétré
dans la salle d'attente de la clinique médicale, fut négative.
Le sol était recouvert d'un linoléum verdâtre ; les murs
tapissés de bois de grange sur lesquels des oiseaux, des
écureuils et autres bestioles empaillées avaient été accrochés. Un téléviseur diffusait un *soap* américain. Les fauteuils étaient dépareillés. Comble d'horreur, quand la spécialiste se présenta, coiffée d'un turban, revêtue d'un sarrau
blanc, les pieds chaussés de savates éculées, les traits
outrancièrement maquillés pour cacher les effets de ses
nombreux *liftings*, il douta qu'elle puisse le transformer
sans l'abîmer. Néanmoins, le Pape se soumit à une séance
de photos, prises à l'aide d'un Polaroïd, que la chirurgienne
étudiait attentivement aussitôt que le portrait se dessinait.

— C'est simple, trancha-t-elle, je vais vous brider les
yeux, ce qui changera votre regard et n'enlèvera rien à son
éclat. Quant aux autres détails, je déciderai au moment
opportun. (*S'adressant aux détectives présents :*) Vous
n'avez pas de suggestions ?

— Non, répondit l'un des détectives. Nous établirons sa nouvelle identité selon ce que vous aurez décidé.

— Faites-moi confiance, dit-elle au Pape sur un ton ferme.

— Est-ce que j'ai le choix ? répliqua-t-il. Mieux vaut une tête de citron inconnue qu'une tête de Turc mise à prix.

Tout le monde se mit à rire.

— Faites ce que vous avez à faire. Gueule pour gueule, la mienne est plutôt réussie, n'est-ce pas ? Alors soignez celle que vous allez en tirer, sinon...

— Sinon ? demanda-t-elle.

— Je pourrai toujours, le temps venu, refaire la vôtre gratuitement. Les résultats sont garantis.

Le docteur Panisset resta éberluée devant ces hommes qui riaient grassement.

Elle ne put s'empêcher de se faire la remarque que le Pape en imposait vraiment.

— De toute façon, docteur, ce n'est pas aujourd'hui la veille. J'ai encore quelques semaines à vivre avec la tête que j'ai.

Le Pape et les détectives prirent congé et retournèrent à la prison après avoir copieusement déjeuné et joyeusement bu dans un restaurant du quartier chinois, rue de la Gauchetière.

À quelques pâtés de maisons de là, au palais de justice, des ouvriers mettaient la touche finale à l'une des cages en Plexiglas de quarante mille dollars qui allaient servir de boxes aux accusés lors du procès. Quoique la cage pût contenir une quinzaine de personnes, seuls les quatre premiers accusés l'étrenneraient. Mais cette cage n'aurait-elle pas été plus utile à la protection des juges et des avocats ?

Henri Guillaume écrivit :

« C'est dans le décorum d'une mise en scène fantastique qu'a débuté, hier, en cour supérieure, où doit s'ouvrir le procès du meurtre des Hell's de Laval, l'audition d'une requête présentée par la défense.

« Dès l'ouverture de l'audience, Mᵉ Jean-Julien de Sève et Mᵉ Roland Dagenais ont demandé à l'honorable juge Georges-Étienne Cartier la délivrance d'une ordonnance de non-publication couvrant toutes les allégations de la requête et les arguments qui les entourent. Ce qui fut accordé... »

Une décision lourde de conséquences…

Majestueusement drapé dans sa toge noire, déclamatoire et théâtral, le sourire en coin et le regard malicieux, Mᵉ Jean-Julien de Sève, tenant en sa main gauche un exemplaire du magazine *Sûreté* prit tout le monde par surprise lorsqu'il déposa une requête demandant l'arrêt des procédures contre les Hell's, parce que ses clients estimaient que leur procès ne serait pas juste ni équitable, entendu que les jurés avaient sans doute, à l'unisson de milliers de lecteurs de *La Presse*, lu le résumé de l'article de l'inspecteur-chef Bastien. Ou même l'article en son intégralité dans ladite revue.

— Nul membre du jury, déclara-t-il, ne peut prétendre à l'impartialité après une telle lecture, car cet article, j'insiste, a été publié par le ministère de la Justice et fait un historique douteux du phénomène des clubs de motards et, plus particulièrement, met en relief les prétendues activités criminelles des Hell's, leurs rites d'initiation et leur mode de vie.

« Une faute grave a à l'évidence été commise. Nous portons plainte pour outrage au tribunal par des écrits nuisant à la bonne marche de la justice. »

Trois hauts fonctionnaires du ministère de la Justice et deux officiers supérieurs de la Sûreté du Québec étaient en cause, dont l'inspecteur-chef Clément Bastien, responsable des enquêtes criminelles.

Quel coup de théâtre ! Au moment où, grâce au Pape, on croyait les affaires des Hell's réglées d'avance, ce diable d'avocat remettait tout en question.

Le lendemain, accoudé à une table du Bistrot Saint-Denis, l'inspecteur-chef confiait à Henri Guillaume : « Vous voulez que je vous dise mon sentiment profond ? J'ai la nausée. Je songe de plus en plus à donner ma démission. Depuis des mois et des mois, je traque les renards, et voilà que de plus fins renards, les de Sève, Dagenais et compagnie, me prennent à leur piège au nom de la défense de leurs clients. Au nom de la justice, je vous le dis, Guillaume, je doute de la justice. Il y a des manigances là-dessous. Et même si je crois, comme le juge Cartier l'a répété ces derniers jours, que les substituts ne sont pas à la hauteur et bâclent leur travail, il n'en est pas moins vrai que nous sommes entravés et accablés par mille tracasseries. Il y a des moments où j'aimerais exécuter ma propre sentence en descendant ces criminels que des procédures et autres arrangements laveront de toute faute. Il y a vraiment de quoi être écœuré. »

15

La moto d'Evanelle
et les cousins de France

COMPLÈTEMENT DÉSABUSÉ, l'inspecteur-chef Clément
Bastien roulait lentement au volant de sa voiture en direction de la pourvoierie du lac Saint-Pierre où il allait découvrir sa nouvelle demeure, se changer les idées et prendre
une grande décision.

Ce procès l'avait accablé de fatigue. Il n'en avait
jamais vécu de semblable au cours de sa carrière et jamais
sa bonne foi n'avait été pareillement bafouée. Il éprouvait
les tiraillements du doute, exactement comme vingt ans
plus tôt, alors qu'il remettait en question et sa foi et ses
vœux. Puis, de kilomètre en kilomètre, il lui sembla retrouver sa sérénité et sa bonne humeur habituelles.

Charles-Étienne l'attendait :

— Vous n'êtes pas gâté par le temps ! La maison est
tellement plus belle au soleil. Vous devez avoir hâte de voir
ce petit chef-d'œuvre ?

Ils gravirent lentement le sentier d'un petit coteau
boisé et, soudain, oh, merveille ! Ils s'arrêtèrent pile, la
main de Clément Bastien se cramponnant au bras de
Charles-Étienne.

— C'est un rêve, dit-il. Une perfection. C'est cent fois plus beau que ce que vous m'aviez décrit.

Ils restèrent là un moment à regarder : Charles-Étienne fier et satisfait de son ouvrage, et Clément Bastien ému comme au jour de sa première communion. Lui qui ne sacrait presque jamais lâcha un puissant «Christ que c'est beau ! »

C'était en effet magnifique. La petite maison s'harmonisait au féerique paysage, abritée sous de grands arbres aux essences diverses dont les bourgeons ne demandaient qu'à éclater. Le toit bleu pesait à peine sur la charpente. Non, ce n'était pas possible : comment Charles-Étienne avait-il pu transformer à ce point une cabane ? Les murs recouverts de bardeaux de cèdre gris, les fenêtres blanches, les persiennes jaune laiteux, et ces boîtes à fleurs noires qui attendaient d'être garnies, suspendues sous les fenêtres par des montants en dentelle de fer forgé. Et la porte du même bleu que le toit.

— Ah ! se réjouissait l'inspecteur-chef. C'est splendide ! (Il regardait tout autour de la maison et s'exclamait devant chaque détail.) Ah ! Quand ce sera fleuri ! Merci ! Vraiment, je vous dis merci.

Et d'entrer dans la maison, et de découvrir, et de s'extasier pour un rien et d'oublier qu'il avait été jésuite, qu'il était détective, et de ressentir les émois de son enfance quand il lisait des contes illustrés de Charles Dickens.

— Elle vous plaît ?

— Comment donc ! Au-delà de mes attentes !

— Et ce procès ? Où en êtes-vous ?

— Eh bien, apprenez que non seulement je suis cité en justice, mais qu'en plus on me retire mes droits. Ce n'est plus moi qui négocie avec le Pape. Mais parlons d'autre chose et, pour commencer, acceptez mon invitation à dîner, à L'Accueil, près de Trois-Rivières, vous m'en direz des nouvelles.

Au fond de lui-même, il en avait déjà pris son parti. La police, c'était fini pour lui.

Et pendant qu'ils roulaient vers le restaurant, à Montréal, Henri Guillaume rentrait chez lui après une journée épuisante.

Une bonne douche, un bon scotch, un bon repas et une belle soirée paisible en compagnie d'Evanelle, voilà tout ce qu'il désirait.

Il héla un taxi et se laissa conduire, l'esprit occupé par tout ce qu'il avait entendu au cours de ce long, fatigant procès. Mais ce qui le tracassait le plus dans cette affaire était l'aspect humain un peu trop négligé. Il n'y avait pas que les motards impliqués ; il y avait aussi leur vie privée, leurs femmes, leurs familles. Il essayait d'imaginer dans quel état ces gens-là devaient se trouver, déchirés, honteux, les enfants sans doute désemparés. Le drame des angelots, quoi. Il éprouva une profonde tristesse.

« Bordel ! se dit-il, soit, il y a dans ce gang-là des criminels, mais Dieu sait combien d'innocentes victimes. »

En arrivant, il se jura bien de leur consacrer une ou deux chroniques.

Evanelle, toute souriante, lui offrit son front à baiser.

— Ah ! Comme je suis heureuse de te voir rentrer si tôt. Vite, suis-moi, j'ai quelque chose à te montrer.

— Mais, qu'est-ce qui se passe ? Pourquoi m'amenez-vous dans le garage ?

— Surprise ! Tu n'as qu'à te laisser guider. Maintenant, ordonna-t-elle, ferme les yeux, tu les ouvriras quand je te le dirai.

Le spectacle de la moto le stupéfia. Devant la joie émerveillée d'Evanelle s'asseyant dans la nacelle, Henri

Guillaume ne put refouler son émotion. Pour ajouter au bonheur de sa si chère et vieille amie, il se mit à applaudir, s'écriant :

— Vous êtes une fée ! Vous n'existeriez pas qu'il faudrait vous inventer. Que serais-je sans vous, Evanelle ?

— Avec ou sans moi, la vie restera la vie, les jours passeront comme les nuits et... mais prends donc le guidon.

— ... passeront comme les nuits et... Qu'alliez-vous dire ?

— Tu poses trop de questions ! Enfourche-moi cet engin, nous allons lire ensemble le manuel d'instructions.

Le ciel fut d'un gris jaunasse toute la fin de semaine et ce, jusqu'au lundi matin, quand Henri Guillaume se rendit à l'aéroport de Mirabel pour assister à l'arrivée des petits cousins français des Hell's.

« Les Hell's français nous visitent — Hell's ou rockers en tournée ? »

« Pas bavards, les petits Hell's, les cousins français de nos Hell's à nous. Aux questions : « Pourquoi êtes-vous venus au Canada ? », « Est-ce que vous avez un but précis ? », « Avez-vous pensé que, compte tenu des circonstances, votre visite pouvait être perçue comme une provocation ? », ils n'ont pas répondu un traître mot.

« La délégation française composée de quatre hommes et deux filles ne correspondait pas à l'image de brutes accolée habituellement à nos Hell's.

Les Hell's français sont plutôt petits, et ils ressemblent à un groupe de chanteurs-rockers à la mode, tirant sur le *heavy metal*. Impossible d'en dire autant du gros et grand moustachu qui les accueillait en présence d'un avocat de Sorel, Me Jérôme Chénier.

Les formalités durèrent quinze minutes, sous l'œil amusé du public, mais aussi celui attristé de réfugiés chiliens attendant que les officiers de l'immigration en aient fini avec eux.

L'un de ces Sud-Américains, exaspéré, ne se gêna pas pour dire de façon à être bien entendu, dans un français respectable :

— Il semblerait plus facile d'entrer au Canada quand on est un Hell's que quand on lutte pour la démocratie dans son pays.

Assailli de questions, Mᵉ Jérôme Chénier consentit finalement à répondre :

— Les Hell's français nous visitent chaque année. C'est une tradition de se visiter entre groupes et entre chapitres. La seule différence que je vois cette année, c'est la présence des journalistes.

— Pourquoi ont-ils recours à un avocat ? demanda quelqu'un.

— Au cas où il y aurait eu des difficultés d'entrer au Canada.

— Ce ne fut donc pas le cas.

Un badaud lança ironiquement :

— Qu'est-ce que ça va être quand les Hell's décideront de donner un congrès international à Montréal !

Une voix fluette répondit en riant :

— Nous recourrons à l'armée française.

— Vive la France ! s'exclama un troisième anonyme.

Et la foule de se disperser, en riant avec cynisme.

16

Le ballet des plaideurs

Dans la salle de rédaction du journal *La Presse*,
quelques journalistes voisins de pupitre d'Henri Guillaume
le bombardaient de questions sur le déroulement des
plaidoiries.

— Minute, bordel ! Je reviens à peine du palais de
justice. Laissez-moi respirer.

Après avoir méticuleusement plié son imperméable,
il alluma une cigarette sans laquelle il n'aurait probablement pas survécu une heure, toussa à quelques reprises et,
gesticulant, se mit à reproduire la fantastique plaidoirie de
Me de Sève, n'omettant ni effet de manche ni trémolo.

— Ce cobra nous a littéralement tous hypnotisés, et
bla-bla-bla, et bla-bla-bla, vous lirez la suite dans l'édition
de demain, dit-il à ses collègues qui l'écoutaient bouche
bée.

Il releva ses manches, enleva ses souliers, ouvrit son
tiroir et se servit discrètement une sérieuse rasade de
cognac dans une tasse à café.

— Tu aurais dû être avocat, remarqua Samuel
Lachance.

— Orateur aurait mieux convenu, renchérit Éloie
Gesnest.

— Conférencier, hein, Henri, ne me dis pas que tu n'aurais pas aimé ça ?

— Voulez-vous que je vous dise le fond de ma pensée ? demanda impatiemment Henri Guillaume. Je me vois très bien à la retraite, seulement j'ai encore plusieurs années à tirer.

— Fais comme les Hell's, vends de la drogue, il paraît que c'est payant, enchaîna Lachance.

— Non mais, est-ce que je peux travailler en paix ? hurla Henri Guillaume au bord de la crise de nerfs, mais il prit sur lui, se jeta sur un morceau de chocolat et retrouva lentement son naturel charmant.

Il commença par la fin de son article :

« [...] C'en était donc fini avec la défense. Le juge Georges-Étienne Cartier, de la Cour supérieure, qui préside les audiences, a ensuite donné ses directives aux jurés qui, dès après, se sont retirés pour délibérer. Il leur avait sans doute notamment rappelé : « Vous devrez rendre votre jugement sur la culpabilité ou la non-culpabilité de quatre personnes accusées chacune de cinq meurtres au premier degré, ce qui signifie que vous aurez à rendre vingt verdicts. Pour chacun de ces vingt verdicts, vous n'aurez le choix qu'entre deux possibilités : coupable de meurtre au premier degré, ou acquitté. »

Et pendant ce temps, Mimi dansait, indifférente au procès. Soit, elle avait été interrogée une fois par les hommes de Bastien, mais ses réponses n'eurent aucune conséquence dans le déroulement de l'affaire. Tout au plus permirent-elles d'éclairer certains détails du double meurtre commis un certain soir, au cabaret Les Nuits Blanches, quand Crash et son maître de cérémonie avaient été descendus par le Pape.

Ce dernier, depuis qu'il était reclus dans sa cellule, s'enfermait dans un profond mutisme. Une seule chose l'inquiétait : l'opération qui allait le métamorphoser et lui permettre de retrouver, incognito, sa liberté. De temps en temps, il téléphonait à Mimi sans trop savoir quoi lui dire. Aussi, il buvait comme au beau temps où il jouissait de sa liberté, fumait son joint sans que ses geôliers n'interviennent et, parfois, s'offrait une sortie sous escorte. Privé de sa tiare et de son costume d'Hell's, il ne s'en prenait pas moins pour le Pape des motards. Certains jours d'ennui, cédant à de troubles impulsions, il se coiffait d'un chapeau fabriqué à l'aide d'un journal, s'asseyait dans le seul fauteuil de sa cellule et écoutait des enregistrements d'opéra, chantant à tue-tête et tambourinant, quoique les doigts dépouillés de ses bagues, sur l'accoudoir de son trône improvisé. Quel malheur l'attendait, lui qui se trouvait si beau ? Ses traits allaient être complètement transformés. Il porterait dorénavant le doux nom de Yuen Hoi Wong, soi-disant rejeton d'un Chinois venu au Canada après la Première Guerre mondiale et d'une Québécoise. Il se regardait souvent dans le miroir, tirait le coin de ses paupières vers ses tempes et grimaçait de toutes les manières possibles, cherchant à imaginer de quoi il aurait l'air une fois remis de son opération.

Quant à l'inspecteur-chef, il avait discrètement remis sa démission et attendait pour prendre sa retraite que les dossiers et autres documents concernant l'opération *Sirocco* aient tous été transmis à son successeur.

Charles-Étienne Coulombe avait presque terminé les travaux de rénovation de la maison de l'inspecteur-chef et s'affairait pour recevoir les nombreux visiteurs qu'allait lui ramener la belle saison. Soit, il écoutait les nouvelles et s'intéressait au dénouement de ce premier procès mais en se disant, défaitiste :

« Il y aura le procès des Hell's de Halifax, celui des neuf autres et, après, la vie continuera avec d'autres crimes, d'autres procès, d'autres catastrophes, d'autres événements. À quoi bon me laisser distraire par tant de mauvaises nouvelles ? »

D'un geste las, il fermait la télévision, mangeait un peu et s'empressait de profiter des jours qui s'allongeaient pour travailler jusqu'à ce que la nuit tombe sur les îles endormies.

Treize jours plus tard, les jurés délibéraient encore, incapables de s'entendre sur le verdict à rendre. Les journalistes attendaient au palais de justice, n'ayant rien à se mettre sous la dent, et ils trompaient le temps en jouant aux échecs ou en regardant la télévision qu'Henri Guillaume avait apportée à leur grande satisfaction. Il avait interrompu sa chronique, faute de matière première.

Un coup de théâtre vint ranimer sa ferveur journalistique. L'après-midi même, il reprit la rédaction de sa chronique et titra : « Un juré a été acheté par les Hell's ».

« Hier, au « procès des quatre », l'un des douze jurés a avoué qu'il avait accepté une offre de vingt-cinq mille dollars d'un membre des Hell's et ami d'enfance pour faire obstruction aux délibérations qui durent déjà depuis quelques semaines.

« En effet, le juge Georges-Étienne Cartier a reçu une note émise par un juré, ainsi rédigée : « J'ai été acheté. Hell's. Numéro huit. »

« Aussitôt, le juge convoqua les accusés et les avocats pour les informer de ce nouvel incident spectaculaire. Le magistrat voulut faire comparaître le juré en question, mais celui-ci refusa de se présenter devant le public et les journalistes assemblés dans la cour. Le juge ordonna illico le huis-clos et, lorsque l'interrogatoire prit fin, il rappela les onze autres jurés pour les informer de l'incident. En l'absence du juré numéro huit, le président permit alors au public l'accès à la salle d'audience.

« C'est alors que furent révélés les détails de l'événement. Et s'adressant aux membres restants du jury, le juge a déclaré qu'il n'avait aucunement l'intention de suspendre les débats car la loi permettait la poursuite d'un délibéré avec un ou deux jurés en moins.

« Me Jean-Julien de Sève s'empressa de manifester son désaccord. Après avoir décrit ce qu'il qualifia de « vices de procédure », il s'indigna : « Il y a dans ce cas possibilité de fumisterie. Et pourquoi la police enquête-t-elle sur les jurés après leur nomination plutôt qu'avant ? »

« Question sans réponse ! Seules furent connues les réactions du juré numéro huit. À la sortie du tribunal, il pleurait, regrettant de toute évidence ce qu'il avait fait.

« C'est à suivre.

« Henri Guillaume. »

17

Le cortège

— LES ASSASSINS prouvent qu'ils sont pour la peine de mort, dit Evanelle, mais pas un seul ne la souhaiterait pour lui-même. Je trouve que les humains sont très étranges.

Elle regardait les flammes dévorer les grosses bûches qu'Henri Guillaume avait déposées dans la cheminée, la maison étant vraiment humide. Il n'avait cessé de pleuvoir depuis des jours et des jours. Le ciel n'avait pas été bleu une seule fois au cours de la semaine, mais toujours gris jaune.

Evanelle dépérissait à vue d'œil. Pas d'entrain. Une tristesse lasse. Elle était assise sur le divan à côté d'Henri Guillaume qui venait de lui faire la lecture d'un article qui traitait du pour et du contre de la peine de mort et des centaines d'individus qui attendaient leur tour dans les prisons états-uniennes.

— Moi, je suis contre la peine de mort, dit Evanelle, mais je ne suis pas davantage en faveur de la prison à perpétuité qui me semble une autre forme de mise à mort, à petit feu. Il faudrait inventer une justice réparatoire.

— Réparatoire ?

— Oui, quelque chose de différent qui ressemblerait à ceci que j'ai vécu quand j'étais jeune. Je séjournais alors chez des amis qui avaient plusieurs enfants en bas âge et l'un des garçons, pas mauvais pour deux sous, s'était emporté contre sa mère et l'avait traitée de maudite folle. Le soir, au retour du père, l'incident fut rapporté et sais-tu, Henri, comment le bonhomme a réagi ?

— Non !

— Eh bien, il a fait venir son fils au salon sans le gronder, calmement et lui a dit : « Tu as insulté et blessé ta mère, tu mérites une punition. Cette semaine, tous les soirs avant d'aller au lit, tu vas embrasser ta mère et, au lieu de lui souhaiter bonne nuit, tu vas lui répéter mot à mot ton insulte. » Et le petit garçon, l'heure d'aller au lit étant venue, fit ce que son père lui avait imposé. Il s'approcha de sa mère en regardant par terre et l'embrassa sur la joue. Au moment même où il devait répéter l'insulte, il fut frappé de mutisme, se jeta à son cou, et fondit en larmes.

— C'est ce que vous appelez une justice réparatoire ?

— À peu près. C'est un exemple.

— Bordel ! Vous n'allez tout de même pas croire qu'un assassin va embrasser le cadavre de sa victime en lui disant je t'aime ?

— Ce n'est pas ce que j'ai dit. Tu ne comprends pas. Les hommes ne comprennent rien à la justice, la vraie, celle du cœur.

— Tout de même. Un homme qui avoue avoir commis plus de quarante meurtres sans manifester un seul sentiment de regret mérite-t-il d'être libéré après seulement neuf ans d'emprisonnement, avec la protection de la police, un traitement de faveur, un salaire et une nouvelle identité ? Bordel ! Il y a des limites !

Pauvre Guillaume ! S'il avait su le traitement que l'avenir et l'État réservaient au Pape, il serait tombé d'encore plus haut.

Le silence tomba. Seuls le troublaient le crépitement du feu et le passage occasionnel d'une automobile dont les pneus chuintaient au contact de l'asphalte mouillée.

Henri Guillaume avala un chocolat, se versa une autre rasade de cognac, but une gorgée, ranima le feu et vint se rasseoir à côté d'Evanelle.

Elle lui prit la main, geste assez inattendu de sa part, et appuya la tête sur son épaule.

Il resta longtemps à regarder les flammes et les formes diverses que les braises prenaient en crépitant.

Beaucoup plus tard, il se rendit compte que la main d'Evanelle était froide, que le sang n'y circulait plus. Il retira délicatement la sienne, se délesta du poids de la tête qui reposait sur son épaule, puis la regarda un long moment, paralysé, les larmes aux yeux, avant de reprendre ses esprits et de faire ce qu'il fallait faire en la circonstance.

La Presse publia un encadré en lieu et place de la chronique habituelle d'Henri Guillaume, annonçant aux lecteurs assidus qu'un deuil venait de frapper leur confrère et précisait les modalités des funérailles.

Le lundi matin, jour du service funèbre, seuls quelques dévots inconnus de Guillaume assistèrent à la cérémonie religieuse. Douze personnes en tout. Agenouillé, seul au premier banc à côté du cercueil en chêne, les bras croisés appuyés sur l'accoudoir du prie-Dieu, Henri vivait son chagrin profond, indifférent au cérémonial.

Quand l'orgue se fut tu, il n'y eut plus à entendre que le glas et les pas des croque-morts qui emportaient le cercueil vers le corbillard, pour aller l'inhumer au cimetière de la Côte-des-Neiges.

Henri Guillaume suivit la dépouille, d'un seul coup conscient de sa solitude, déçu par l'absence de collègues ou d'amis. Mais quels sentiments avaient-ils à témoigner pour une logeuse ? Ç'eût été sa mère, sa sœur, une parente, soit, beaucoup de journalistes, même des gens de la haute direction, se seraient déplacés, mais Evanelle Ampleman...

On plaça le cercueil dans le corbillard. Henri Guillaume monta dans la limousine noire qui suivait, et le pauvre cortège prit la direction du cimetière en empruntant le chemin de la Côte-Sainte-Catherine.

Des bruits étranges intriguèrent alors Guillaume. Il se retournait pour regarder par la lunette arrière de la voiture lorsqu'il vit, à sa grande surprise, plusieurs motos surgir des rues adjacentes. De Vimy, Glencœ, Liwood, Déom, de la Brunante, Wilderton, Plantagenet, Woodbury, Canterbury, Darlington, Northmount, Hudson, jusqu'à l'avenue Decelles.

Les motos Harley-Davidson, montées par des Hell's arborant fièrement leur insigne, moteurs pétaradants, se placèrent deux à deux derrière la limousine, formant un impressionnant équipage.

Les Hell's manifestaient leur sympathie à celui qui les mettait en scène dans ses chroniques. Ils étaient cinquante à suivre le corps d'Evanelle qu'ils ne connaissaient même pas. Quelques minutes plus tard, à deux pas du cimetière, d'autres motos les rejoignirent, mais elles étaient montées par des policiers de la communauté urbaine informés par des collègues d'une auto patrouille du rassemblement des Hell's.

Les gens se retournaient au passage de cet étrange cortège. Les médias, aussitôt informés, déléguèrent des reporters sur les lieux de l'inhumation.

Masqué, un motard, peut-être l'un des nombreux encore recherchés par la police, en compagnie d'une petite amie aussi jolie qu'un bourgeon de rosier, présidait à la mise en terre. Quel spectacle que ces barbares encerclant la fosse où allait descendre le cercueil d'Evanelle ! Et quel silence. Un à un, les Hell's vinrent à la file indienne jeter une poignée de terre sur le cercueil en saluant d'un signe de tête le journaliste.

La pétarade des moteurs reprit, envahissante, se répercutant sur les immeubles formant rideau sur le flanc ouest du mont Royal, et le chef enfourcha sa moto le dernier, raide et colossal, la fermeture de son jean prêt de céder, disant à sa compagne :

— Qu'est-ce que tu veux que j'y fasse ? C'est comme ça ! La mort me fait bander.

Il lui broyait l'épaule. Elle, la mort la faisait pleurer.

Ils partirent comme des fous, laissant derrière eux un nuage d'essence brûlée, sillonnant les allées du cimetière vers le lit qui les attendait, tandis que les autres motards se dispersaient en tous sens.

Henri Guillaume refusa de rentrer en limousine. Les mains dans les poches, cigarette aux lèvres, il préféra marcher dans le jardin funèbre après avoir remercié les croque-morts. Il avait encore beaucoup de choses à faire et à régler. Et d'abord, comment allait-il vivre ?

De retour chez lui, il téléphona à la femme de ménage, pour lui demander de trier les effets personnels de la défunte, ce qu'il n'aurait pas osé faire lui-même et, tandis que la dame s'affairait dans la chambre, il alla au salon s'asseoir devant le petit secrétaire où Evanelle rangeait ses papiers. Il trouva des lettres qu'il n'osa pas lire, puis des comptes, des reçus, des photos et un petit carton bleu sur lequel elle avait écrit : « En cas de décès, contacter le notaire Maurice Sawer. » Suivaient une adresse et deux numéros de téléphone. Il composa le premier.

— J'attendais votre appel, dit le notaire, qui lui fixa un rendez-vous.

C'est ainsi qu'Henri Guillaume apprit qu'il héritait de la maison et d'une petite fortune qui allait le mettre à l'abri des tracas jusqu'à la fin de ses jours.

— Cependant, dit le notaire Sawer, ma cliente a posé une condition, une seule, et même si je la trouve farfelue, elle n'est pas insurmontable.

— De quoi s'agit-il ?

— De réaliser un de vos rêves.

— Un de mes rêves ? !

— N'avez-vous pas déjà confié à ma cliente que vous auriez aimé vivre dans une maison mobile et voyager ?

— Si.

— Alors, c'est la condition. Dès que vous aurez votre maison mobile, vous aurez droit de succession.

— Bordel ! s'écria Henri Guillaume. Je n'ai plus trente ans.

— Réfléchissez, enchaîna le notaire, peut-être les retrouverez-vous en réalisant votre vieux rêve ?

Ils se mirent à rire tous les deux et Henri Guillaume lui demanda quelques jours de réflexion avant d'accepter ou de refuser.

— Rien ne presse. Vous avez tout votre temps.

Henri Guillaume se garda bien de lui dire que sa décision était déjà prise. Il prit congé du notaire et rentra au journal où il n'avait pas mis les pieds depuis quelques jours, éprouvant un certain ressentiment envers ses collègues qui avaient brillé par leur absence lors des funérailles d'Evanelle, sauf les journalistes des faits divers attirés sur les lieux par la présence des motards. Mais la perspective de donner sa démission et de l'annoncer à la ronde lui remonta le moral. Il accepta néanmoins par éthique professionnelle la demande qu'on lui fit de couvrir l'affaire des Hell's jusqu'à son dénouement. Ce qui amena bientôt un nouveau papier : « Trois Hell's reconnus coupables ». Et en sous-titre : « Le quatrième acquitté ».

« Le premier procès s'est conclu hier. Les trois condamnés, Joseph « le Gun » Mathieu, Jacques « Jack » Maheux et Jean « Cigare » Miron, tous trois membres du chapitre de Sorel, devront purger chacun vingt-cinq ans de détention avant d'être admissibles à la libération conditionnelle. Robert « Beer » Belleau a été innocenté, et le juge Georges-Étienne Cartier de la Cour supérieure a ordonné sa libération sur-le-champ. Les agents spéciaux affectés à la garde des accusés l'ont aussitôt délesté des menottes et des chaînes qui encerclaient ses chevilles, puis ont déverrouillé la porte de la cage des accusés pour le laisser partir.

Au cours de la conférence de presse, dès après le verdict, les deux avocats du ministère public, Jean-Claude Terzief et Me Marcel Pageau annonçaient qu'ils interjetteraient appel sur l'acquittement sans dévoiler les motifs qu'ils invoqueraient.

Me Terzief a ajouté que le terme « satisfait » était trop faible pour exprimer son contentement et s'est exclamé :

— C'est le triomphe de la justice sur la corruption !

Il rendit ensuite hommage aux policiers ayant mené l'enquête, félicitant particulièrement l'inspecteur-chef Bastien. Il omit — on se demande pourquoi — de louanger le Pape.

Interrogé au sortir du palais de justice, Me Roland Dagenais, avocat de la défense, a quant à lui déclaré ne pas avoir aimé le commentaire du procureur Terzief, précisant : « Ce n'est pas le triomphe de la justice sur la corruption ni la fin d'une bataille entre le bien et le mal, c'est la fin d'une affaire judiciaire. »

Me Jean-Julien de Sève n'a pu être joint. Il s'est retiré dans son bureau dès la fin du procès, sans doute pour préparer les suivants, celui des quatre membres du chapitre des Hell's de Halifax et celui des neuf autres Hell's qui attendent derrière les barreaux.

Vêtu d'une veste pare-balles et escorté par une vingtaine de détectives armés, Paul « le Pape » Veillette, sans rester à découvert plus de quelques secondes, sa tête ayant été mise à prix, quitta la prison de Parthenais et monta dans une voiture banalisée qui, dès que les portières furent fermées, partit à vive allure. Quelques minutes plus tard, elle se garait derrière une clinique médicale privée. Le Pape et deux détectives en descendirent rapidement et disparurent par la porte réservée aux livraisons.

Quelques heures plus tard, le caïd ressortait, soutenu par les mêmes détectives, la tête enroulée de bandelettes. Ils l'aidèrent à prendre place à l'arrière, puis la voiture retourna d'où elle venait avec Yuen Hoi Wong. Cependant, il devait attendre cinq à six jours avant de revenir pour qu'on lui retire ses bandelettes, et plusieurs autres jours encore pour contempler son visage et s'habituer à sa nouvelle physionomie. Les yeux avaient été bridés, le nez avait été un peu modifié : narines élargies et bout du nez légèrement écrasé. Le menton avait également subi quelques ajustements.

Lui qui avait une peur atroce de la maladie et des traitements en avait eu pour son compte et, se sachant tuméfié, renonça à se regarder dans un miroir durant plusieurs semaines.

Pendant ce temps, le deuxième procès, celui des Hell's de Halifax, se déroulait sans incidents. Ils furent tous acquittés. Le poids du témoignage du Pape n'avait pas suffi. Libérés, ils se précipitèrent dans le bureau de

Mᵉ Jean-Julien de Sève, dont la géniale plaidoirie avait retourné les pronostics, et qui déclara aux journalistes qu'il était convaincu depuis toujours de l'innocence de ses quatre clients.

Ceux-ci refusèrent de répondre aux questions des envoyés spéciaux qui les attendaient en compagnie de photographes et de cameramen, à la sortie même du bureau de Mᵉ Jean-Julien de Sève, à quelques pas du palais de justice, dans le Vieux-Montréal. Deux Jaguar noires les emmenaient.

Henri Guillaume mit fin à sa chronique avec une joie fiévreuse telle qu'il n'en avait plus connue depuis long-temps.

Il réalisait son rêve sans se faire prier. Des ouvriers travaillaient déjà à la transformation de l'autobus qu'il avait acheté pour le convertir en maison mobile. Lui-même dessinait le plan de la plate-forme hydraulique qui allait transporter sa motocyclette.

Comme prévu, l'inspecteur-chef Clément Bastien prit sa retraite dans sa belle petite villa de la pourvoierie du lac Saint-Pierre. Dans la paix et la sérénité, il allait aménager son petit jardin paysager, lire autant qu'il voudrait, et boire tout son soûl sans avoir à subir les mises en garde de ses supérieurs.

Plusieurs semaines passèrent tranquilles. Mais un matin, lisant le journal qu'il allait chercher chaque jour chez le marchand du coin, il reçut un choc terrible, droit au cœur. En effet, il venait d'apprendre que le ministère public avait retiré ses accusations de meurtre au premier degré contre les neuf membres des Hell's qui s'étaient reconnus coupables de complicité.

— Mᵉ de Sève ! s'écria-t-il. Est-ce possible ? Tout mon travail, tout le travail de mes hommes ! Ces mois

d'enquête! Ces interrogatoires! La délation négociée du
Pape! Ces preuves! Tout est à l'eau! Comment a-t-il pu
convaincre le ministère public? C'est ça, la Justice? Pour
des Hell's Angels!

Il faisait les cent pas, tournait comme un lion en cage,
regardait le journal qu'il avait déposé sur la table et frap-
pait dessus à grands coups de poing, sacrant comme un
déchaîné de telle sorte que même le Pape, l'entendant,
serait resté bouche bée :

— Saint-sacrement-d'étoile-de-manipule-d'hostie-de-
Christ-de-saint-ciboire-de-De-Sève. Chienne de justice!
Chienne de défense de mon cul!

Il était intarissable et, peu à peu, à bout de jurons,
comme malgré lui, il reprit son calme, alla chercher une
bouteille de cognac et un verre avant de se rasseoir à la
table pour lire la suite de l'article. Il ne put supporter plus
d'un paragraphe et vida trois verres coup sur coup.

— C'est le comble! Le ministère et la défense qui
s'entendent comme des larrons en foire, s'indigna-t-il en
vidant encore son verre pour le remplir aussitôt et poursuivre la lecture d'un autre passage.

« Des mandats d'arrestation émis contre cinq ou six
autres membres du club de motards sont maintenus. Les
suspects n'ont pas encore été retrouvés. »

— Je suppose que, dès qu'ils auront été incarcérés, on
va s'empresser de les libérer? Alors, à quoi bon les recher-
cher? Bon Dieu, ils sont puissants ces Hell's-là!

Le policier ne croyait pas si bien dire. Heureusement
pour lui, il était à mille lieues de soupçonner que les informations et les relations d'un Pape de fantaisie, d'un ex-
chef du chapitre de Laval, étaient des atouts plus précieux
que jamais.

— Je n'aurais pas dû démissionner.

Bastien ferma le journal, le jeta au panier et continua à boire toute la journée, maugréant, se culpabilisant, puis sortit prendre l'air.

Il s'en alla en sautillant comme un vautour si gavé de charogne qu'il ne peut même plus déployer ses ailes. Et, claudiquant, après quelques pénibles tentatives pour mettre un pied devant l'autre, il buta sur son ombre, et tomba comme un cerf-volant débalancé, vociférant contre lui-même dans une mare d'eau sale. Il était ivre mort.

Et Mimi dansait sur la scène du cabaret Les Nuits Blanches devant un Asiatique qui la dévorait des yeux et lui jetait des billets de banque sans compter.

Table

CET OUVRAGE
COMPOSÉ EN TIMES CORPS 10 SUR 12
A ÉTÉ ACHEVÉ D'IMPRIMER
LE VINGT-SEPT OCTOBRE DE L'AN DEUX MILLE TROIS
PAR LES TRAVAILLEURS ET TRAVAILLEUSES
DES PRESSES DE AGMV-MARQUIS
À CAP-SAINT-IGNACE
POUR LE COMPTE DE
LANCTÔT ÉDITEUR.

IMPRIMÉ AU QUÉBEC (CANADA)